Modern
**Spanish
Prose:**
an Introductory Reader

SECOND EDITION

Modern
Spanish
Prose:
an Introductory Reader
with a Selection of Poetry

Gustave W. Andrian

TEXAS SOUTHMOST COLLEGE LIBRARY
1825 MAY STREET, FT. BROWN
BROWNSVILLE, TEXAS 78520

THE MACMILLAN COMPANY
COLLIER-MACMILLAN LIMITED, LONDON

© Copyright, Gustave W. Andrian, 1969

All rights reserved. No part of this book may be reproduced or transmitted in any form or by any means, electronic or mechanical, including photocopying, recording or by any information storing and retrieval system, without permission in writing from the Publisher.

printing number
4   5   6   7   8   9   10

Earlier edition, entitled Modern Spanish Prose and Poetry: An Introductory Reader © copyright 1964 by Gustave W. Andrian.

Library of Congress catalog card number: 69–13392

The Macmillan Company
Collier-Macmillan Canada, Ltd., Toronto, Ontario

Printed in the United States of America

Acknowledgments

The editor is indebted to the following persons and publishers for permission to use the material reproduced:

For **Julio Camba:** Don Francisco Szigriszt

For **Julio Cortázar:** Editorial Sudamericana, S.A.

For **Pío Baroja:** Editorial Biblioteca Nueva (*Obras Completas,* 1948) and the heirs of Pío Baroja

For **Jacinto Benavente:** Don Leopoldo López-Casero y Muñoz and Aguilar, S.A. de Ediciones (*Obras Completas,* Madrid, 1946)

For **Jorge Luis Borges:** The author

For **Azorín:** José Martínez Ruiz (Azorín)

For **Ramón Gómez de la Serna:** Doña Luisa Sofovich, Vda. de D.R. Gómez de la Serna

For **Juan Ramón Jiménez:** Don Francisco Hernández-Pinzón Jiménez

For **Octavio Paz:** The author

For **Miguel de Unamuno:** Don Fernando de Unamuno

For **Camilo José Cela:** The author and Taurus Ediciones, S.A. (*Mesa Revuelta,* 1957)

For **Ana María Matute:** The author and Ediciones Destino, S.L. (*Historia de la Artámila,* Barcelona, 1961)

For **Miguel Mihura:** The author

For **Miguel Delibes:** The author

For **Rubén Darío:** Aguilar, S.A. de Ediciones (*Obras Completas,* Madrid, 1954)

For **Antonio Machado:** Don Manuel Álvarez de Lama and Matea Monedero Vda. de Machado

For **Federico García Lorca:** The Estate of Federico García Lorca and New Directions, Publishers

Preface

Gratified by the wide acceptance of the first edition, which has gone through seven printings, and encouraged also by the favorable personal response to the book's aims by colleagues in many schools and colleges, the editor has prepared an expanded second edition, which is designed for use in the third semester of college courses (or second semester of an intensive introductory course), and in the third or fourth year of secondary schools. Its aim is to provide the student as early as is practicable with intellectually mature works whose length and simplicity of style obviate the need for abridgment, adaptation, or simplification: the plays, essays, stories, and poems included in this book are presented in their original, unadulterated form. (The only change made by the editor is the elimination of the accent mark from such words as *fui, fue,* etc., according to current practice.)

One of the principal changes of the second edition consists of the inclusion of three great Spanish American writers who are major figures at home and abroad: Jorge Luis Borges, Julio Cortázar, and Octavio Paz. These celebrated authors take their places in the book alongside their equally famous Castilian compatriots like Unamuno, Azorín, García Lorca, and many others. Another name that has been added to the second edition is that of Miguel Mihura, one of the foremost satirists of the contemporary Spanish theater. In addition, new material by Julio Camba, Pío Baroja, Juan Ramón Jiménez (*Platero y yo*), and Ana María Matute, has been introduced. Other changes involve expansion and elaboration of the exercises. A study of the works of these great writers and thinkers should enhance language learning at any level. The inclusion of more than one genre provides variety of language and style, sustained interest, and flexibility of use.

To facilitate and accelerate the student's comprehension of the readings, words and idioms are supplied at the foot of the page, as well as in the end vocabulary. The exercises, which include *cuestionarios* and varied drill on grammar, idioms, comprehension, and word building, are designed to have the student review as frequently as possible the authors' language and style. For the most part, the introductions lean more towards a general evaluation of the merits and style of the author than to biography; any elaboration of these introductions or of any other material in the book is left to the discretion of the teacher.

The editor wishes to thank his colleagues and friends for their valuable suggestions, and to express his indebtedness to his wife Margaret and his son Robert for their tireless assistance in the preparation of the manuscript.

Hartford, Connecticut   **G.W.A.**

Contents

Contents

Modern
**Spanish
Prose:**
an Introductory Reader

Julio Camba
1884 ▪ 1962

Julio Camba was not only the most distinguished Spanish humorist of the twentieth century, but also Spain's most widely traveled journalist. He got an early start when he left his native Galicia at the age of thirteen to emigrate to Buenos Aires, hidden, so the story goes, in the hold of the ship. His career as a newspaperman began in Buenos Aires, but came to an early end, for when he was barely sixteen years old, he was deported to Spain—as a "dangerous anarchist," according to another story! Back home, Camba resumed his chosen profession and spent the rest of his life writing for a large number of Spanish and Spanish American newspapers. In his capacity as a journalist, Camba's assignments took him all over the world, including two lengthy visits to the United States, but most of his time was spent in Europe. After his last year in New York, he lived in Spain from 1931 until his death.

Julio Camba's contribution to Spanish literature consists of a formidable number of *crónicas,* the humorous and satirical short articles which he originally wrote for various newspapers, but which have been published in book form. Two volumes are devoted to the United States: *Un año en el otro mundo* (1917), and *La ciudad automática* (1931). The method of this keen observer of the world scene consisted of reducing to the absurd the endless contrasts of life and the illogical relationships among human beings, which his clarity of vision laid bare, by means of an almost completely precise, logical mechanism. Satire is the basis of his work, and among his favorite devices are exaggeration and caricature.

Camba's satire, however, is not vicious; on the contrary, his is a tongue-in-cheek attitude, and his numerous sketches are characterized by good taste and respect for the dignity of man. Nor is the satire frivolous; behind the comic lies the serious note, such as the author's preoccupation with the state of his own country (see *En la planta baja*).

You will find that the penetrating portraits of individuals, based on generalized nationalistic traits, or a sketch like *Los estados engomados* are as fresh and alive today as they were a generation or two ago. The spontaneous, personal, and conversational style of these *crónicas* is still able to establish an engaging rapport between the author and his readers.

Julio Camba

En las sombras del cinematógrafo

Un hombre se presenta a la puerta de un cinematógrafo. Va a la taquilla [1] y le dice a la taquillera que su mujer está en la sala acompañada de un amante.

—Quiero matarla—ruge [2] blandiendo un pistolón.

Quiere matarla, pero gratis, sin tomar entrada [3] ninguna. La taquillera se aterra [4] y mientras el irascible marido chilla [5] y exhibe su artillería, ella telefonea al director exponiéndole el caso. ¿Qué creerán ustedes que se le ocurre entonces al director? ¿Preparar una cámara para hacer un documental con la muerte de la esposa adúltera y proyectarlo al día siguiente en el mismo lugar del suceso? No. El director interrumpe la sesión cinematográfica,[6] hace iluminar la sala y se dirige al público en estos términos:

—A la entrada del establecimiento hay un hombre cuya mujer se encuentra aquí en compañía de su amante. Ese hombre quiere matarla (*Sensación*). La aguarda en la puerta con una pistola (*Pánico*). Pero que nadie se asuste.[7] El caballero y la señora de quienes se trata podrán salir impunemente por la puerta del fondo.

A estas palabras se abre la puerta del fondo y se apaga [8] la luz para ocultar el rubor de los fugitivos. Entonces, entre las tinieblas, se ven levantarse dos sombras. Detrás de éstas, se levantan otras dos y así hasta once parejas.[9] Cuando se hace la luz, el teatro se encuentra casi vacío. Mientras tanto, el irascible marido continúa blandiendo su pistolón en la entrada.

A thrill a minute (un estremecimiento, un espeluzno, un escalofrío por minuto) [10] decían los anuncios de las películas de *gangsters* en mis tiempos de Nueva York. Un escalofrío por minuto, o sean,[11] sesenta escalofríos por hora, lo que, dada [12] la duración de las películas y el precio de las entradas, ponía el escalofrío al al-

---

[1] **taquilla**   ticket window.
[2] **rugir**   to roar, to bellow.
[3] **entrada**   admission ticket.
[4] **aterrarse**   to become terrified.
[5] **chillar**   to shriek.
[6] **sesión cinematográfica**   (showing of) the film.
[7] **que nadie se asuste**   (let) no one be afraid.

[8] **apagar**   to extinguish.
[9] **parejas**   couples.
[10] **(un . . . por minuto)**   a shuddering, a terror, a chill a minute.
[11] **o sean**   or; that is.
[12] **dada** (*from dar*)   given; considering.

2

cance de todas las fortunas y le hacía una gran competencia a la gripe.[13] La docena de escalofríos, en efecto, venía a resultar en [14] unos cinco centavos, y en una ciudad tan aficionada a las emociones como Nueva York haría falta,[15] realmente, estar en la mayor miseria para no dejarse escalofriar por una suma tan módica. Se 5 puede afirmar, por tanto, que en Nueva York todo el mundo frecuentaba el cine, excepto los millonarios, quienes, como es natural, tenían a su disposición procedimientos escalofriantes de mucha más envergadura [16] y preferían arruinarse unos a otros en la Bolsa [17] o estrellarse [18] a toda velocidad en coches de veinte o 10 veinticinco mil dólares. Todo el mundo frecuentaba el cine en busca de emociones, y aunque las películas de *gangsters* no emocionan ya a nadie, el suceso que acabamos de referir demuestra bien a las claras que el cine, con sus sombras propicias a todas las pasiones furtivas, sigue siendo todavía algo así como la Meca [19] 15 del escalofrío.

EXERCISES   *En las sombras del cinematógrafo*

I. Cuestionario

1. ¿Qué dice el hombre a la taquillera?
2. ¿Qué trae él en la mano? ¿Por qué?
3. ¿A quién telefonea la taquillera?
4. ¿Qué se le ocurre al director?
5. ¿Cuál es la reacción del público al oír las palabras del director?
6. ¿Qué propone éste?
7. ¿Qué se ve entre las tinieblas?
8. ¿Qué sigue haciendo el marido?
9. ¿Qué anunciaban las películas cuando Camba estaba en Nueva York?
10. Durante aquella época, ¿cuánto costaba una docena de escalofríos?

[13] **le hacía . . . gripe**   competed strongly with the grippe.
[14] **resultar en**   to prove to be, to become.
[15] **haría falta**   it would be necessary.
[16] **procedimientos . . . envergadura**   a much wider choice of thrilling pastimes.
[17] **Bolsa**   Stock Exchange.
[18] **estrellarse**   to crash.
[19] **Meca**   Mecca, *symbolizing a supremely desirable goal.*

11. ¿Qué preferían los millonarios al cine?
12. ¿Qué buscaba la gente en el cine?
13. ¿Qué ha pasado con las películas de *gangsters*?
14. ¿Qué sigue siendo el cine?

II. *Replace the italicized words in the sentences by an appropriate equivalent to be selected from the following list.*

escalofrío	aficionado a	irascible
oscuridad	aterrarse	pobreza
taquilla	extinguir	estar
	al día siguiente	

1. El hombre se dirige al *despacho de billetes*.
2. La taquillera *se asusta*.
3. El marido *irritado* está blandiendo una pistola.
4. ¿Qué piensa hacer el director *mañana*?
5. Hasta los que están en la mayor *miseria* pueden dejarse escalofriar.
6. En ese momento *se apaga* la luz.
7. Se ven levantarse dos sombras en las *tinieblas*.
8. Cuando se hace la luz, el teatro *se encuentra* casi vacío.
9. *Un estremecimiento* decían los anuncios de las películas.
10. Nueva York es una ciudad *enamorada de* las emociones.

III. *Passive with* se.

Some examples from the text:

se abre la puerta del fondo
se apaga la luz

A. *Change the following sentences to the passive with* se.
   Example: **Han destruido un puente en Londres.**
   Se ha destruido un puente en Londres.

1. Ven una vaca en el prado.
2. Construirán una casa en este lugar.
3. Fue servida la comida en el campo.
4. Me prohiben la entrada.
5. Estudian el español en esta escuela.

B. *Translate:*

1. Stamps [*sellos*] are sold here.
2. How is this word pronounced?
3. Spanish is spoken here.
4. The street lights [*faroles*] are turned off at 2. A.M.
5. These books have been read many times.

IV. *Subjunctive in indirect commands.*

Example: **Pero que nadie se asuste.**
Change each of the following sentences to the indirect command according to the model:
Yo no escribo la carta. Que la escriba él.

1. Yo no hago el viaje.
2. Yo no apago la luz.
3. Yo no abro la puerta.
4. Yo no salgo con María.
5. Yo no cierro la puerta.

V. *Translate the following sentences:*

1. A thrill a minute can be found in gangster films.
2. Are you fond of the movies?
3. "Let them leave by the back door," said the manager.
4. It is said that people frequent the movies in search of emotions.
5. Do you think that what you have just read is true?
6. Let nobody allow himself to be fooled [*engañar*] by Camba's humor.

Los estados engomados [1]

Se ha dicho que el francés es un hombre muy condecorado y que come mucho pan. El americano, a su vez,[2] es un hombre sin condecoraciones y que masca [3] mucha goma.

Mascar goma: he aquí el gran vicio nacional de los Estados

---

[1] **engomados**   gummed.
[2] **a su vez**   in his turn.
[3] **mascar**   to chew.

Unidos de Norteamérica. Los americanos mascan goma así como [4] los chinos fuman opio. La goma de mascar es el paraíso [5] artificial de este pueblo. En el tranvía [6] o en el ferrocarril yo he visto a veces frente a mí 15 ó 20 personas en fila [7] abriendo y cerrando la boca, como si fueran peces, y con una expresión beatífica en los ojos. Esta expresión respondía [8] al gusto que experimentaban mascando goma.

El año pasado, los americanos han mascado goma por valor [9] de 30 millones de dólares. Es decir, que han gastado en mascar muy poco menos de lo que [10] un pueblo como España gasta en comer. La cifra es realmente asombrosa,[11] porque, si bien [12] hay personas que usan una goma nueva para cada rato de masticación, hay, en cambio, otras que se guardan la goma mascada y la remascan otra vez y otra más, haciéndola durar semanas enteras. Cuando se tiene poco dinero, es preciso estirar [13] la goma, y aprovecharla [14] mientras dé de sí.[15]

La goma de mascar es una goma perfumada y sumamente [16] blanda que se vende en forma de pastillas.[17] Las familias pobres sin embargo, yo creo que compran neumáticos [18] viejos y que los mascan en común; esto es, que el padre y la madre y los hijos y las muchachas se sientan todos alrededor del neumático y que le meten el diente [19] simultáneamente. Un neumático de automóvil, utilizado en esta forma, puede durarle a una familia todo el año.

Yo no sé si ustedes han oído hablar de la mandíbula [20] americana, esta mandíbula prominente, de la que se envanecen [21] los americanos, considerándola un signo de gran energía. Pues, para mí, la mandíbula americana se forma en fuerza de [22] mascar goma.

No quiero entrar en detalles sobre la manera americana de mas-

---

[4] **así como** just as.
[5] **paraíso** paradise.
[6] **tranvía** trolley car.
[7] **en fila** in a row.
[8] **responder** to correspond.
[9] **por valor** to the amount.
[10] **menos de lo que** less than.
[11] **asombrosa** amazing.
[12] **si bien** although.
[13] **estirar** to stretch out.
[14] **aprovecharla** to take advantage of it.

[15] **dé** (*from dar*) **de sí** it lasts. *Camba puns on **estirar** to* stretch, and **dar de sí** to stretch out (to last).
[16] **sumamente** very.
[17] **pastillas** lozenges, tablets.
[18] **neumáticos** tires.
[19] **le meten el diente** take a bite out of it.
[20] **mandíbula** jaw.
[21] **se envanecen (de)** are proud (of).
[22] **en fuerza de** by dint of.

ticar; pero sí advertiré [23] que los americanos jamás se esconden ni se cohiben [24] para la masticación. Hasta hay quien [25] considera que el acto de mascar goma es un acto lleno de poesía.

Todo el mundo masca goma en América, los ricos y los pobres, los negros y los blancos y los amarillos, los americanos de origen 5 inglés o francés y los germano-americanos. Y aquí es donde aparecen la utilidad y la transcendencia social y política de la goma de mascar. No tan sólo [26] el hábito de mascar goma constituye algo común para las diferentes razas que pueblan [27] los Estados Unidos, algo que iguala [28] entre ellos a los americanos de procedencias [29] 10 más diversas, y que los diferencia, al mismo tiempo, de los ciudadanos de otros países, sino que, poco a poco, la masticación va creando [30] unos rasgos fisionómicos [31] típicamente americanos, entre los que predomina la mandíbula, como he dicho antes. Si en el porvenir llega a [32] existir un tipo americano tan característico 15 como lo [33] son hoy el tipo inglés o el francés o el español, los americanos podrán decir que, para formarlo, se han gastado en goma millones y millones de dólares. Este país va adquiriendo cohesión a fuerza de goma. Según las estadísticas [34] del ministerio de Comercio, es [35] por valor de 30 millones de dólares la cantidad de 20 goma que se echa cada año en el *melting pot* o crisol de las razas. Los Estados Unidos, como pueblo, puede decirse que están pegados con goma. Son los Estados Unidos con Goma o los Estados Engomados.

EXERCISES   *Los estados engomados*

I. *Cuestionario.*

    1. ¿Cuál es el gran vicio nacional de los Estados Unidos?
    2. ¿Dónde mascan goma los americanos?

[23] **pero sí advertiré** but I *will* point out.
[24] **cohibir** to restrain.
[25] **quien** those who.
[26] **No tan sólo** not only *with sino que* (*line 12*) but also.
[27] **poblar** to inhabit.
[28] **igualar** to make equal.
[29] **procedencias** origins.
[30] **va creando** *Progressive tense with ir* is creating.
[31] **fisionómicos** facial.
[32] **llega a** there comes to.
[33] **lo** *Omit in translation.*
[34] **estadísticas** statistics.
[35] **es** *The subject follows:* **la cantidad de goma** . . .

3. ¿Gastan mucho dinero en mascar goma?
4. ¿Qué compran las familias pobres para mascar?
5. ¿Qué consideran los americanos un signo de gran energía?
6. ¿Hay americanos que no mascan goma?
7. ¿Es verdad que la goma iguala a todos los americanos?
8. Explique usted en español el "melting pot."
9. ¿Le gusta a usted mascar goma?
10. ¿Abre y cierra usted la boca como un pez?
11. ¿En qué está el humor de este artículo?

II. *Translate the words in parentheses into Spanish.*

1. (*It has been said*) que el francés es un hombre condecorado.
2. Los americanos mascan goma (*just as*) los chinos fuman opio.
3. Abren y cierran (*their*) boca como si (*they were*) peces.
4. Han gastado en mascar poco menos (*than*) un pueblo español gasta en comer.
5. Cuando se tiene poco dinero, (*it is necessary*) estirar la goma.
6. La goma (*is sold*) en forma de pastillas.
7. La mandíbula americana se forma (*by dint of*) mascar goma.
8. No sé si ustedes (*have heard of*) este gran vicio.
9. Este país (*keeps on spending*) millones de dólares en goma.
10. Los Estados Unidos (*are*) pegados con goma.

III. *Translate the following sentences into Spanish.*

1. Americans chew not only gum but also tires.
2. The poor chew as much the rich.
3. Last year, Americans spent too much money on gum.
4. On the other hand, we do not like other things.
5. It is not necessary to believe all that we read.
6. They are sitting around the table.
7. There are those who never chew gum.
8. Everybody is equal in the United States.

IV. *State whether the following are true or false.*

1. Los americanos mascan goma sólo en casa.
2. Mascan goma sin abrir la boca.
3. Gastan más dinero en mascar goma del que un pueblo español gasta en comer.

4. El acto de mascar goma iguala a todos los americanos.
5. La masticación resulta en que todos los americanos tienen dientes afilados.
6. El autor odia a los americanos.

En la planta baja [1]

Europa es una casa de vecindad.[2] En la planta baja, viven los alemanes. Están muy bien instalados, aunque con un mal gusto ostensible. Son unos inquilinos [3] recientes, que no tienen grandes simpatías con nadie. Trabajan mucho y ganan dinero; pero no saben vivir. Comen unas porquerías infectas.[4] Sus criados, los po- 5 loneses, hablan mal de ellos a hurtadillas.[5]

Al fondo, en un pabellón aislado,[6] vive la familia inglesa. Gente un poco orgullosa, pero de muy buenas costumbres. Su vida es patriarcal. A las once de la noche no se ve luz en ninguna ventana del pabellón. Los hombres trabajan todo el día; las muchachas 10 hacen *sport* [7] y toman té. Los domingos, la familia entera se pone a [8] cantar salmos [9] a coro. Nunca se oye escándalo [10] en casa de los ingleses. Si se divierten, deben hacerlo con gran sigilo.[11] Unos dicen que se aburren mucho. Otros aseguran que se pasan la vida bebiendo. ¡Habladurías [12] de patio de vecindad! [13] Lo cierto es que 15 esos ingleses son gente verdaderamente distinguida. Cuando, por casualidad, se tropiezan con [14] alguno de los alemanes del piso bajo, lo miran con un desdén al que los alemanes no son completamente insensibles.

Los franceses ocupan el principal.[15] Es gente alegre, simpática, 20 comunicativa. Se pasan el día comiendo y bailando.

[1] **planta baja**   ground floor.
[2] **casa de vecindad**   apartment house.
[3] **inquilinos**   tenants.
[4] **porquerías infectas**   foul mess.
[5] **a hurtadillas**   behind their backs.
[6] **pabellón aislado**   separate building.
[7] **hacen sport**   go in for sports.
[8] **ponerse a**   *plus infinitive*   to begin.
[9] **salmos**   psalms.
[10] **escándalo**   noise, uproar.
[11] **sigilo**   reserve, secrecy.
[12] **Habladurías**   gossip.
[13] **patio de vecindad**   house courtyard.
[14] **tropezarse con**   to run into; to come upon.
[15] **el principal**   first floor.

—Estos franceses son muy demócratas—dice la portera.

Tienen mucho dinero pero no lo gastan al tuntún.[16] Nunca pierden la cabeza, por locos que parezcan.[17]

Algunas veces los vecinos protestan contra la libertad de costumbres que reina en casa de los franceses. Sin embargo, todos ellos van, de cuando en cuando,[18] a hacerles una visita, porque en casa de los franceses se pasa muy bien el rato. La comida es excelente. Las muchachas son encantadoras. Los mismos ingleses abandonan con cierta frecuencia su pabellón para ir al principal, con el pretexto de un negocio cualquiera. En realidad, van por[19] ver a las francesas y por beber unas copitas de vino de champaña. Quienes se llevan[20] muy mal con los franceses son los alemanes.

En el segundo viven los italianos. Su casa es verdaderamente artística. Cuadros y estatuas en todos los rincones. Se ve que esa gente ha tenido un pasado magnífico. Actualmente[21] no les va muy bien. Se pasan el día cantando romanzas[22] al piano, con lo que molestan mucho a la vecindad. Las chicas estudian todas canto y declamación. Comen unos guisos[23] cargados de cebolla. Al pasar por delante de la puerta donde viven los italianos, se le humedecen a uno los ojos[24] con la cebolla y con la música.

Hay muchos más vecinos en la casa. Hay los rusos, que habitan un piso enorme y muy frío, demasiado grande, tal vez, para ellos, y los griegos, y los turcos, y los austríacos, y hay las guardillas,[25] ocupadas por gente pobre. Los españoles estamos en el desván. Vivimos entre telarañas y trastos[26] viejos. Todos los días decimos que vamos a renovar el piso; pero no lo hacemos nunca. Nos levantamos muy tarde y tenemos una fama de vagos[27] perfectamente justificada. Cuando alguno de nosotros va de visita al principal o a la planta baja, o al pabellón de la familia inglesa, entra con un pie

[16] **al tuntún**   carelessly.
[17] **por locos que parezcan**   no matter how mad they may seem.
[18] **de cuando en cuando**   from time to time.
[19] **por**   to express cause   because they want to see.
[20] **Quienes se llevan**   those who get along.
[21] **actualmente**   at the present time (not actually).
[22] **romanzas**   arias.
[23] **guisos**   stews, dishes.
[24] **se le humedecen a uno los ojos**   one's eyes moisten.
[25] **guardilla**   attic.
[26] **telarañas y trastos**   cobwebs and junk.
[27] **vagos**   lazy persons, idlers.

de gran señor,[28] como si la gente que nos recibe no supiera que nuestra casa es un desván. Luego vuelve uno al desván y lo encuentra triste. A veces quiere uno ponerse a barrer [29] las telarañas; pero los otros protestan. No tenemos una gorda.[30] Nos morimos de hambre.　　　　　　　　　　　　　　　　　　　　　　　　　5

—¿Por qué no trabajan ustedes?—nos preguntan los otros vecinos.

Como si la gente de nuestra alcurnia [31] pudiera ponerse a trabajar. ¿Por quiénes nos habrán tomado? [32]

Yo escribo estas líneas desde el piso bajo, adonde he venido a pasar una temporada.[33] Realmente, estos señores están mucho 10 mejor instalados que nosotros, y comen más y tienen muchísima más fuerza; pero yo no los envidio. Los inquilinos del desván somos unos hidalgos [34] que no envidiamos a nadie.

EXERCISES　*En la planta baja*

I.　*Cuestionario.*

1. ¿Dónde viven los alemanes?
2. ¿Por qué no tienen grandes simpatías con nadie?
3. ¿Cómo son los ingleses?
4. ¿Qué hacen los domingos?
5. ¿Se oye ruido en su casa?
6. ¿Cómo miran a los alemanes?
7. ¿Quiénes pasan el día comiendo y bailando?
8. ¿Por qué les gusta a los vecinos hacer una visita a los franceses?
9. ¿Son amigos los franceses y los alemanes? ¿Es cierta esta opinión de Camba?
10. ¿Cuál es el rasgo más característico de los italianos?
11. ¿Cómo molestan a la vecindad?
12. ¿Cómo es el piso que habitan los rusos?

[28] **con un pie de gran señor**　like an aristocrat.

[29] **barrer**　to sweep.

[30] **una gorda** (*una perra gorda*) *translate* a cent. (*Perra chica* worth five *céntimos; perra gorda* or *grande* worth ten *céntimos.*)

[31] **alcurnia**　lineage, ancestry.

[32] **nos habrán tomado**　can they have taken us.

[33] **temporada**　a short time.

[34] **hidalgos** (*poor*) noblemen.

13. ¿Dónde están los españoles?
14. ¿Por qué tienen una fama de vagos?
15. ¿Envidia el autor a los vecinos del piso bajo?
16. ¿Qué rasgo del carácter español trata Camba con mucha ironía?

II. *Match each of the words in column A with one from column B related to it in meaning. Only ten of the words in column B are applicable.*

A	B
vecino	en el tiempo presente
planta	algo
escándalo	empezar
actual	vecindad
ponerse a	piso
vago	ruido
guardilla	rosa
temporada	acto
alcurnia	noble
hidalgo	linaje
	tiempo
	desván
	perezoso

III. *Fill in the blank space with an appropriate word selected from the list below. Make any changes where necessary.*

orgulloso	casa de vecindad	encantador
artístico	cebolla	desván
vago	hambre	instalado
torero	triste	envidiar

1. Europa se compara a una _____.
2. La familia inglesa es gente un poco _____.
3. Las muchachas francesas son _____.
4. La casa de los italianos es verdaderamente _____.
5. Los italianos comen unos guisos cargados de _____.
6. Los españoles viven en el _____.
7. Mueren de _____.
8. Tienen fama de _____.

9. Todos los demás vecinos están mejor _____ que los españoles.

10. Los españoles son hidalgos que no _____ a nadie.

IV. *Review the following expressions and idioms, and translate the sentences below them into Spanish.*

> **ponerse a** + *infinitive*   to begin to
> **a hurtadillas**   on the sly, behind one's back
> **tropezarse con**   to run into
> **de cuando en cuando**   from time to time
> **sin embargo**   nevertheless
> **llevarse**   to get along
> **por casualidad**   by chance

1. The Germans get along badly with the French.
2. Their servants speak ill of them behind their backs.
3. When by chance an Englishman runs into a German, he looks at him with disdain.
4. When the Italians begin to sing, they disturb the whole neighborhood.
5. Nevertheless, they spend the day singing and eating.
6. From time to time the other neighbors visit the French.
7. Do you think that the Spanish are really lazy?
8. Camba says that they are too proud to work.

Julio Cortázar
1914 ∎

Like his famous countryman, Jorge Luis Borges, Julio Cortázar is an important literary figure respected not only in Argentina and in the rest of Spanish America, but also in many foreign countries. Having lived for many years abroad—his father was in the diplomatic service—Cortázar is cosmopolitan and Argentinian at the same time. The translation in this country of two novels, *Los premios* and *Rayuela,* has brought him great acclaim.

Like many of his countrymen, Cortázar was early attracted by the literature of the fantastic and the absurd, and became an outstanding cultivator of this genre, as can be seen in the collection of stories entitled *Bestiario* (1951). He shows himself to be an extremely original author, fond of the irrational, the abstract, the incoherent, but preoccupied with the anguish and the moral dilemmas of the contemporary world.

Cortázar is also a very realistic author. His stories, written in a very personal style, reflect all kinds and levels of society and settings, with characters that are exceptionally well drawn. It will not be difficult to guess that he had an American patented phenomenon in mind when he wrote *Los amigos* (from *Final del juego,* 1956).

Los amigos

En ese juego [1] todo tenía que andar rápido. Cuando el Número Uno decidió que había que liquidar a Romero y que el Número Tres se encargaría del trabajo, Beltrán [2] recibió la información pocos minutos más tarde. Tranquilo pero sin perder un instante, salió del café de Corrientes y Libertad y se metió en un taxi. Mien- 5 tras se bañaba en su departamento, [3] escuchando el noticioso, [4] se acordó de que había visto por última vez a Romero en San Isidro, un día de mala suerte en las carreras. [5] En ese entonces Romero era un tal [6] Romero, y él un tal Beltrán; buenos amigos antes de que la vida los metiera por caminos tan distintos. Sonrió casi sin 10 ganas, pensando en la cara que pondría Romero al encontrárselo de nuevo, pero la cara de Romero no tenía ninguna importancia y en cambio había que pensar despacio en la cuestión del café y del auto. Era curioso que al Número Uno se le hubiera ocurrido [7] hacer matar a Romero en el café de Cochabamba y Piedras, y a 15 esa hora; quizá, si había que creer en ciertas informaciones, el Número Uno ya estaba un poco viejo. De todos modos la torpeza [8] de la orden le daba una ventaja: podía sacar el auto del garaje, estacionarlo con el motor en marcha por el lado de Cochabamba, y quedarse esperando a que Romero llegara como siempre a en- 20 contrarse con los amigos a eso de las siete de la tarde. Si todo salía bien evitaría [9] que Romero entrase en el café, y al mismo tiempo [10] que los del café vieran o sospecharan su intervención. Era cosa de suerte y de cálculo, un simple gesto (que Romero no dejaría de ver, [11] porque era un lince [12]), y saber meterse en el tráfico y pegar 25 la vuelta a toda máquina. [13] Si los dos hacían las cosas como era debido—y Beltrán estaba tan seguro de Romero como de él mismo—

[1] **juego** business.	[8] **torpeza** awkwardness.
[2] **Beltrán** *Same person as Número Tres.*	[9] **evitar** to prevent.
[3] **departamento** apartment.	[10] *insert* **evitaría.**
[4] **el noticioso** the news.	[11] **no dejar de (ver)** not to fail to (see).
[5] **las carreras** the (*horse racing*) track.	[12] **lince** lynx.
[6] **un tal** just a guy named.	[13] **pegar . . . máquina** get back at full speed.
[7] **al Número Uno . . . ocurrido** it should have occurred to No. 1.	

todo quedaría despachado en un momento. Volvió a sonreír pensando en la cara del Número Uno cuando más tarde, bastante más tarde, lo llamara desde algún teléfono público para informarle de lo sucedido.

Vistiéndose despacio, acabó el atado [14] de cigarrillos y se miró un momento al espejo. Después sacó otro atado del cajón, y antes de apagar las luces comprobó que todo estaba en orden. Los gallegos [15] del garaje le tenían el Ford como una seda.[16] Bajó por Chacabuco, despacio, y a las siete menos diez se estacionó a unos metros de la puerta del café, después de dar dos vueltas a la manzana [17] esperando que un camión de reparto [18] le dejara el sitio. Desde donde estaba era imposible que los del café lo vieran. De cuando en cuando apretaba un poco el acelerador para mantener el motor caliente; no quería fumar, pero sentía la boca seca y le daba rabia.[19]

A las siete menos cinco vio venir a Romero por la vereda [20] de enfrente; lo reconoció en seguida por el chambergo [21] gris y el saco cruzado.[22] Con una ojeada [23] a la vitrina del café, calculó lo que tardaría en cruzar [24] la calle y llegar hasta ahí. Pero a Romero no podía pasarle nada a tanta distancia del café, era preferible dejarlo que cruzara la calle y subiera a la vereda. Exactamente en ese momento, Beltrán puso el coche en marcha y sacó el brazo por la ventanilla. Tal como había previsto, Romero lo vio y se detuvo sorprendido. La primera bala [25] le dio entre los ojos, después Beltrán tiró al montón [26] que se derrumbaba. El Ford salió en diagonal, adelantándose limpio [27] a un tranvía, y dio la vuelta por Tacuarí. Manejando sin apuro,[28] el Número Tres pensó que la última visión de Romero había sido la de un tal Beltrán, un amigo del hipódromo [29] en otros tiempos.

[14] **atado** pack.
[15] **gallegos** Galicians (*of Spain*).
[16] **como una seda** smooth as silk.
[17] **manzana** (city) block.
[18] **camión de reparto** delivery truck.
[19] **le daba rabia** it made him die (*for a cigarette*).
[20] **vereda** sidewalk.
[21] **chambergo** soft hat.
[22] **saco cruzado** double-breasted jacket.
[23] **ojeada** glance.
[24] **lo que tardaría en cruzar** how long it would take to cross.
[25] **bala** bullet.
[26] **tiró al montón** fired at the heap.
[27] **adelantándose limpio** neatly racing ahead of.
[28] **manejando sin apuro** driving without haste.
[29] **hipódromo** horse racing.

EXERCISES   *Los amigos*

I.   *Cuestionario*

1. ¿Qué decidió el Número Uno?
2. ¿Quién se encargaría del trabajo?
3. ¿Qué hizo Beltrán después de recibir la información?
4. ¿Se conocen Beltrán y Romero?
5. ¿Dónde había visto Beltrán a Romero por última vez?
6. ¿Por qué dicen que el Número Uno ya estaba un poco viejo?
7. ¿A qué hora suele [*soler*] Romero llegar al café?
8. ¿Lo matará Beltrán en el café?
9. ¿A dónde se dirige Beltrán después de salir de su apartamento?
10. Al llegar al café, ¿por qué no pudo estacionarse en seguida?
11. ¿Por dónde vio venir a Romero?
12. ¿Por qué va Beltrán a dejarlo cruzar la calle?
13. ¿Lo asesinó con una sola bala?
14. ¿Ocurren estas clases de asesinato en este país?
15. ¿Siente Beltrán algún remordimiento?

II.   Complete the sentences below by selecting the appropriate expressions from the following list:

pensar en	de nuevo	hacer matar
haber que	por última vez	a eso de
no dejar de	encontrarse con	lo sucedido
tardar en	de cuando en cuando	ocurrírsele a uno
volver a		

1. Beltrán había de asesinarlo (*about*) _____ las siete de la tarde.
2. Romero llega siempre al café a esa hora a (*meet*) _____ los amigos.
3. Beltrán sonrió, (*thinking about*) _____ la cara que pondría Romero.
4. Había visto (*the last time*) _____ a Romero en San Isidro.
5. El jefe decidió que (*it was necessary*) _____ liquidar a Romero.
6. Desea (*to have him killed*) _____ delante del café.
7. Beltrán no sabe cómo eso (*had occurred to him*) _____.

TEXAS SOUTHMOST COLLEGE LIBRARY
1825 MAY STREET, FT. BROWN
BROWNSVILLE, TEXAS 78520

8. (*From time to time*) _____ Beltrán apretaba el acelerador.
9. Romero (*would not fail to*) _____ ver que su asesino es su amigo.
10. Romero (*did not delay*) _____ cruzar la calle y llegar hasta el café.
11. Beltrán se escapó en su coche después de (*what happened*) _____.
12. Por fin los dos amigos se habían encontrado (*again*) _____.

III. Uses of the subjunctive

The subjunctive is widely used in this story, occurring with impersonal expressions (era curioso, era imposible), *with the conjunctions* antes de que *and* hasta que, *and with such verbs as* esperar, evitar, *and* dejar. *In the following sentences, supply the correct form of the verb in parentheses. Be careful to determine between the subjunctive, the indicative, and the infinitive.*

1. Es curioso que Beltrán (*tener*) _____ que matar a su amigo.
2. Espero que esto no (*suceder*) _____ con frecuencia.
3. Si todo salía bien prohibiría que Romero (*entrar*) _____ en el café.
4. Es cierto que los dos hombres se (*conocer*) _____ desde hace tiempo.
5. Eran buenos amigos antes de que la vida los (*meter*) _____ por caminos distintos.
6. Antes de (*apagar*) _____ la luz, comprobó que todo estaba en orden.
7. Estaba seguro de que era imposible que los del café lo (*ver*) _____.
8. Es preferible dejarlo que (*cruzar*) _____ la calle y (*subir*) _____ a la vereda.
9. Es curioso que después de (*tomar*) _____ otro atado de cigarrillos, Beltrán no (*querer*) _____ fumar.
10. Cortázar ha escrito un cuento que nos ha (*dejar*) _____ muy impresionados.

IV. Translate. Keep in mind Exercises II and III.

1. When it is necessary to liquidate his friends, he does not fail to do it.

2. He intends [*pensar*] to kill Romero before he can enter the cafe.
3. I will meet you at the school about 8:00 A.M.
4. He smiled *again* [two ways] when he saw Romero coming along the street.
5. It is curious that he wants to have me killed.
6. The train will not be late (slow) in arriving.
7. He smoked a cigarette from time to time while he was waiting for Romero to cross the street.
8. Before returning home, he called No. 1 to inform him of what was done.

Pío Baroja
1872 ▪ 1956

Just before the turn of the century, a small group of young writers and intellectuals began to make their voices heard as they protested vigorously against the sad state of their country, "la dolorosa realidad española," as Azorín put it. Spain's disastrous defeat in the Spanish-American War of 1898 only added fuel to the burning cries of protest, and the distinguished writers who probed the country's national weaknesses are referred to by the name of the Generation of '98. Although their literature examined the national conscience, these writers were seeking to create a better Spain.

The most forcefully individualistic writer of the Generation of '98 was the famous novelist and essayist Pío Baroja. Nothing escaped his pessimistic, skeptical, and often bitter observation. He attacked religion, political systems, tradition, a decadent society—everything that he considered to be false, hypocritical, conventional, prejudicial. His frank appraisals are literally strewn with adjectives like *absurdo, estúpido, imbécil.*

A Basque, Pío Baroja was born in San Sebastián. More than a hundred volumes of novels and essays attest to his amazing literary productivity. In many of these novels Baroja's reaction to the reality of Spain, viewed as an absurd chaos, is expressed through the desire for action: "la acción por la acción es el ideal del hombre sano y fuerte." In one of the selections that follow, we discover his admiration for Nietzsche, from whom he could have taken his cult of energy and his concept of life as a struggle.

Other novels are characterized by a good deal of intellectual reflection, such as *Camino de perfección* (1902), and *El árbol de la ciencia* (1911), typical of the Generation of '98 in their pessimism and severe criticism of Spanish society. Baroja's militant and even iconoclastic nature, as well as the climate of subjective criticism of national faults, must be taken into account in reading an essay like *¡Triste País!* And yet, as we read *La sombra,* we find it hard to believe that the spiritual and lyrical expression is that of the same man. He is brusque but sincere, this *pajarraco * del individualismo,* as he defined himself.

* big ugly bird

La sombra

"Porque el que se ensalzare será humillado, y el que se humillare
será ensalzado." [1]

(*San Mateo*, v. XII, c. XXIII.)

Había salido del hospital el día de Corpus Christi, y volvía, envejecida y macilenta,[2] pero ya curada, a casa de su ama,[3] a seguir
nuevamente su vida miserable, su vida miserable de prostituta. En
su rostro, todas las miserias; en su corazón, todas las ignominias.

Ni una idea cruzaba su cerebro; tenía solamente un deseo de   5
acabar, de descansar para siempre sus huesos [4] enfermos. Quizá
hubiera preferido morir en aquel hospital inmundo,[5] en donde se
concrecionaban los detritus del vicio,[6] que [7] volver a la vida.

Llevaba en la mano un fardelillo [8] con sus pobres ropas, unos
cuantos harapos [9] para adornarse. Sus ojos, acostumbrados a la 10
semioscuridad, estaban turbados por la luz del día.

El sol amargo brillaba inexorable en el cielo azul.

De pronto, la mujer se encontró rodeada de gente, y se detuvo
a ver la procesión [10] que pasaba por la calle. ¡Hacía tanto tiempo
que no la había visto! ¡Allá en el pueblo, cuando era joven y tenía 15
alegría y no era despreciada! ¡Pero aquello estaba tan lejos! . . .

Veía la procesión que pasaba por la calle, cuando un hombre, a
quien no molestaba, la insultó y le dio un codazo; [11] otros, que
estaban cerca, la llenaron también de improperios [12] y de burlas.

Ella trató de buscar, para responder a los insultos, su antigua 20
sonrisa, y no pudo más que crispar [13] sus labios con una dolorosa
mueca,[14] y echó a andar con la cabeza baja y los ojos llenos de
lágrimas.

---

[1] "Whoever exalts himself will be
humbled, and whoever humbles
himself will be exalted." *The
verbs are in the future subjunctive.*

[2] **envejecida y macilenta** aged and
pale.

[3] **ama** mistress, lady of the house.

[4] **huesos** bones.

[5] **inmundo** dirty.

[6] **en donde . . . del vicio** in which

was collected all the decay of
vice.

[7] **que** than.

[8] **fardelillo** little bundle.

[9] **harapos** rags.

[10] **procesión** *religious procession in
honor of the Eucharist.*

[11] **codazo** blow with the elbow.

[12] **improperios** insults.

[13] **crispar** to twitch.

[14] **dolorosa mueca** pitiful grimace.

En su rostro, todas las miserias; en su corazón, todas las ignominias.

Y el sol amargo brillaba inexorable en el cielo azul.

En la procesión, bajo el sol brillante, lanzaban destellos [15] los mantos de las vírgenes bordados en oro, las cruces [16] de plata, las piedras preciosas de los estandartes de terciopelo.[17] Y luego venían los sacerdotes con sus casullas,[18] los magnates, los guerreros de uniformes brillantes, todos los grandes de la tierra, y venían andando al compás de [19] una música majestuosa, rodeados y vigilados [20] por bayonetas y espadas y sables.[21]

Y la mujer trataba de huir; los chicos la seguían, gritando, acosándola,[22] y tropezaba y sentía desmayarse; [23] y, herida y destrozada por todos, seguía andando con la cabeza baja y los ojos llenos de lágrimas.

En su rostro, todas las miserias; en su corazón, todas las ignominias.

De repente, la mujer sintió en su alma una dulzura infinita, y se volvió y quedó deslumbrada,[24] y vio luego una sombra blanca y majestuosa que la seguía y que llevaba fuera del pecho el corazón herido y traspasado por espinas.[25]

Y la sombra blanca y majestuosa, con la mirada brillante y la sonrisa llena de ironía, contempló a los sacerdotes, a los guerreros, a los magnates, a todos los grandes de la tierra, y, desviando de ellos la vista,[26] y acercándose a la mujer triste, la besó, con un beso purísimo, en la frente.

EXERCISES   *La sombra*

I. *Cuestionario*

1. ¿De dónde había salido la mujer?

[15] **lanzaban destellos**   sparkled.
[16] **cruces (de plata)**   (silver) crosses.
[17] **estandartes de terciopelo**   velvet banners.
[18] **casulla**   chasuble (*the outer vestment of the celebrant at the Eucharist*).
[19] **al compás de**   in time with.
[20] **vigilados**   watched over.
[21] **sables**   sabers.
[22] **acosar**   to harass.
[23] **desmayarse**   to faint.
[24] **deslumbrada**   dazzled; bewildered.
[25] **traspasado por espinas**   pierced with thorns.
[26] **desviando de ellos la vista**   turning its eyes from them.

2. ¿Cómo era?
3. ¿Qué revela su rostro?
4. ¿Qué pasaba por la calle?
5. ¿Qué le hizo un hombre?
6. ¿Cómo respondió ella a los insultos?
7. ¿Qué contraste hay entre la procesión y ella?
8. ¿Tenían los chicos piedad de ella?
9. ¿Qué vio de repente?
10. ¿Qué lleva la sombra?
11. ¿Por qué contempló la sombra con ironía a los de la procesión?
12. ¿Qué le hizo la sombra a la pobre mujer?
13. ¿Quién es esta sombra?
14. ¿Le parece a Vd. que hay una cualidad poética en el estilo de este cuento? ¿Dónde?
15. ¿Por qué es el sol "amargo"?
16. ¿Cuál es la significación de la cita bíblica a la cabeza de este cuento?

II. Hacer *in time expressions*

Hace dos años que vive en España. He has been living in Spain for two years.

Hacía dos años que vivía en España. He had been living in Spain for two years.

When the sentence is negative, hacer . . . que *is generally followed by the perfect or pluperfect.*

Hace tanto tiempo que no la he visto. I haven't seen it for such a long time.

Hacía tanto tiempo que no la había visto. I hadn't seen it for such a long time.

A. *Supply an answer for the following questions.*

1. ¿Cuánto tiempo hace que usted estudia el español?
2. ¿Cuánto tiempo hacía que usted no le había escrito?
3. ¿Cuánto tiempo hace que usted no lo ha visto?
4. ¿Cuánto tiempo hacía que usted estudiaba esta lección?
5. ¿Cuánto tiempo hace que están casados sus padres?

B. *Translate*

1. The woman had been in the hospital for two years.

2. She had not seen her town for a long time.
3. I have not seen her for two years.
4. My father has been a doctor for twenty years.
5. He had been living in this country for ten years.

III. *Substitute an appropriate equivalent from the following list for the italicized expressions in the sentences below.*

cara	ponerse	hallarse
cura	viejo	soldado
ir	afrenta	

1. La mujer volvía *envejecida* a casa de su ama.
2. En su *rostro*, todas las miserias.
3. De pronto *se encontró* rodeada de gente.
4. Ella *echó a* andar con la cabeza baja.
5. Luego venían *los sacerdotes* en la procesión.
6. Los *guerreros* llevan uniformes brillantes.
7. *Seguía* andando con la cabeza baja.
8. En su corazón, todas las *ignominias*.

IV. *Correct the statements below that are false.*

1. La mujer volvía a seguir su vida miserable.
2. Llevaba en la mano un ejemplar de la Biblia.
3. De pronto la mujer se encontró en la iglesia.
4. Un hombre le dio un ramo de flores.
5. La mujer andaba con la cabeza baja y los ojos llenos de lágrimas.
6. Casi todo el pueblo participaba en la procesión.
7. Sólo los chicos la encontraban simpática.
8. La sombra vino porque hacía demasiado sol.

¡Triste país!

Estos periódicos franceses que dicen que España es un triste país, tienen mucha razón, muchísima razón. España es un triste país, como Francia es un hermoso país.

Yo, la verdad,[1] no admiro de Francia ni sus sabios, ni sus poetas, ni sus pintores; lo que más me entusiasma es su terreno fértil y

---

[1] **la verdad**   to tell the truth.

llano,[2] su clima dulce; sus ríos, que se deslizan[3] claros y transparentes a flor de[4] tierra; lo que más me entusiasma de Francia es su tierra y sobre todo, su vida.

¡Qué diferencia entre España y Francia! ¡Entre esta península llena de piedras, quemada por el sol, helada en el invierno, y aquel país amable y sonriente!

La tierra y la vida de Francia son admirables; los hombres, también; pero los productos humanos del país vecino no me parece que pueden compararse con sus productos agrícolas e industriales; los dramas de Racine[5] no están indudablemente tan bien elaborados como el vino de Burdeos,[6] ni los cuadros de Delacroix[7] valen tanto como las ostras[8] de Arcachón.[9]

En cambio, entre los españoles sucede casi lo contrario; nuestros grandes hombres, Cervantes, Velázquez, *el Greco*, Goya,[10] valen tanto o más que los grandes hombres de cualquier lado;[11] en cambio, nuestra vida actual vale menos, no que la vida de Marruecos,[12] menos que la vida de Portugal. Es una pobre, una lamentable vida la nuestra.

Todos nuestros productos materiales e intelectuales son duros, ásperos, desagradables. El vino es gordo,[13] la carne es mala, los periódicos aburridos y la literatura triste.

Yo ne sé qué tiene nuestra literatura para ser tan desagradable. No hay blandura de corazón en nuestros escritores, ni en los antiguos, ni en los modernos, ni en los del Norte, ni en los del Mediodía, ni en los de Levante, ni en los de Poniente.[14] Todos son unos.

Yo me[15] tengo que sincerar de mi fama de sombrío, primera-

---

[2] **llano**   level.
[3] **deslizarse**   to slide, slip.
[4] **a flor de**   level with.
[5] **Racine**   *Celebrated French writer of tragedies* (1639–1699).
[6] **Burdeos**   Bordeaux.
[7] **Delacroix**   *Leader of French Romantic painters* (1799–1863).
[8] **ostras**   oysters.
[9] **Arcachón**   *Town on the French coast, south of Bordeaux.*
[10] **Velázquez . . . Goya**   *Three of Spain's greatest painters,* Velázquez (1599–1660); El Greco (1548–1625); and Goya (1746–1828).
[11] **cualquier lado**   anywhere.
[12] **Marruecos**   Morocco.
[13] **gordo**   hard (*as of water*).
[14] **Mediodía**   south; **Levante**   east; **Poniente**   west.
[15] **me**   *goes with* **sincerar**   to vindicate.

mente porque es muy agradable hablar de sí mismo y después porque tengo una fama de tétrico [16] que no me la [17] merezco.

Yo escribo en triste [18] porque el medio ambiente [19] me molesta, el sol me ofusca,[20] lo que digo me irrita; pero en el fondo de mi alma amo ardientemente la vida.   5

—Usted—me decía la Pardo Bazán [21] hace algún tiempo—no es un intelectual. Usted es un hombre sensual.

Y es verdad; yo no soy un intelectual, ni un hombre de discurso, ni un hombre de pensamientos profundos, no; no soy más que un hombre que tiene las grandes condiciones para no hacer nada. Yo, 10 si pudiera, no haría más que esto: estar tendido perezosamente [22] en la hierba, respirar con las narices abiertas como los bueyes [23] el aire lleno de perfumes del campo, ver cerca de mí las pupilas [24] claras y dulces de una mujer sonriente, y saborear el olor del helecho [25] en las faldas de los montes, y saborear la melancolía del 15 campo cuando el *Angelus* [26] vierte su tristeza en los valles hundidos y los sapos [27] lanzan su nota de cristal en el silencio lleno de rumores de la noche serena . . .

Y después de reposar en el campo volvería a la gran ciudad y vería gente, y luces, y bailarines, y *galops* . . .[28]   20

Para mí, una de las cosas más tristes de España es que los españoles no podemos ser frívolos ni joviales.

El hombre es producto del medio,[29] no sólo es hijo del cosmos, es el mismo cosmos que siente y piensa, y el cosmos en España es bastante desagradable.   25

Valle-Inclán [30] tuvo que pasarse un año entero en pelea con-

[16] **tétrico**   sullen, gloomy (*person*).
[17] **me la**   *Need not be translated. Me refers to the person concerned, la to fama.*
[18] **en triste**   in a gloomy way.
[19] **el medio ambiente**   my general surroundings.
[20] **ofuscar**   to bewilder.
[21] **Pardo Bazán**   Emilia Pardo Bazán (1852–1921), *Spanish novelist and critic.*
[22] **perezosamente**   lazily.
[23] **bueyes**   oxen.

[24] **pupilas**   eyes.
[25] **helecho**   fern.
[26] **Angelus**   the bell tolling for prayer.
[27] **sapos**   toads.
[28] *galops*   lively dances. *Note the effect obtained by this abrupt change of tone in a terse, short sentence following the previous lyrical one.*
[29] **medio**   environment.
[30] **Valle-Inclán**   *Spanish novelist* (1869–1936).

tinua para tener el gusto de llevar melenas.[31] La gente se paraba a mirarle con impertinencia o le insultaba. ¿Con qué derecho se dejaba melenas? ¿Por qué quería distinguirse?

Triste país en donde no se pueden satisfacer las tonterías [32] que uno tiene; en donde no se pueden llevar melenas, ni usar po- 5 lainas [33] blancas, ni intimar con [34] su mujer en la calle, ni llevar un ramo de flores en la mano sin llamar la atención; triste país en donde tiene uno que avergonzarse [35] de todo lo que es sentimental y humano, en donde hay un espíritu hostil a todo lo pintoresco y en donde el novelista tiene que inventar tipos porque no los hay. 10

Triste país éste, en donde, para divertirse, se hacen corridas de toros o luchas de fieras [36] y se canta la jota,[37] que es la brutalidad cuajada [38] en canción; triste país, en donde todos los hombres son graves y todas las mujeres displicentes,[39] en donde en la mirada de un hombre que pasa vemos la mirada del enemigo. 15

Triste país, en donde la libertad está en unos papeles y no está en el corazón.

Triste país, en donde por todas partes y en todos los pueblos se vive pensando en todo menos [40] en la vida.[41]

Vivimos en un triste país; por eso ya en el mundo nadie nos 20 hace caso . . . ,[42] y hacen bien.

EXERCISES   *¡Triste país!*

I. *Cuestionario*

1. ¿Qué admira Baroja de Francia?

[31] **melenas**   long, disheveled hair.
[32] **tonterías**   foolish notions.
[33] **polainas**   leggings.
[34] **intimar con**   be close to.
[35] **avergonzarse**   to be ashamed.
[36] **fieras**   wild animals.
[37] **la jota**   *Popular Spanish dance and music that accompanies it.*
[38] **brutalidad cuajada**   utmost stupidity.
[39] **displicentes**   ill-humored.
[40] **menos**   except.
[41] *Baroja's strong outburst drew a rebuttal from his famous country-man, Miguel de Unamuno, who takes a completely opposite position. For example, he pities those modern European countries in which people think of nothing except life:* "¡Desgraciados países esos países europeos modernos en que no se vive pensando más que en la vida! ¡Desgraciados países en que no se piensa de continuo en la muerte . . ."

[42] **hacer caso (a)**   to notice, to mind.

2. ¿Le entusiasman la tierra y el clima de España? ¿Por qué?
3. ¿Qué piensa el autor de los grandes escritores y pintores franceses?
4. ¿Qué es lo mejor de España?
5. ¿Son agradables los productos de España?
6. Baroja dice que no merece su fama de tétrico. ¿Está usted de acuerdo?
7. ¿Le gusta a Baroja la vida perezosa?
8. ¿Qué haría él, si pudiera?
9. ¿Prefiere Baroja la vida alegre de la ciudad?
10. ¿Por qué halla triste la actitud de los españoles?
11. ¿Cuál fue el caso de Valle-Inclán?
12. ¿Qué otros casos llaman la atención?
13. ¿Es Baroja aficionado a las corridas de toros?
14. ¿Qué se ve en la mirada de un hombre, según el autor?
15. ¿Le parece a usted demasiada severa esta crítica de España?

II. *Translate the words and phrases in parentheses into Spanish.*

1. Los periódicos franceses (*are right*).
2. No admira de España (*neither*) el clima (*nor*) la vida.
3. (*On the other hand*), no hay (*greater*) hombres que Cervantes y Velázquez.
4. Viviría en Francia si (*he could*).
5. Es una lamentable vida (*ours*).
6. Los otros países no (*notice, pay attention*) a España.
7. Nos avergonzamos de (*all that which*) es sentimental.
8. Los productos humanos no valen (*as much as*) los productos industriales.

III. *Replace the italicized words in the ten sentences below by an appropriate equivalent to be selected from the list below.*

estudiante	ambiente	en cambio
entusiasmar	sombrero	tristeza
necedades	ojo	tétrico
pelea	presente	clima

1. El *tiempo* de Francia es dulce.
2. Baroja tiene fama de *sombrío*.
3. Lo que *me gusta sobremanera* de Francia es su tierra.

4. *Por otra parte,* entre los españoles sucede lo contrario.
5. Nuestra vida *actual* vale menos que la vida de Portugal.
6. Quisiera ver las *pupilas* claras de una mujer sonriente.
7. El Angelus vierte su *melancolía* en los valles hundidos.
8. El hombre es producto del *medio.*
9. Se pasó un año entero en *lucha* continua.
10. No se pueden satisfacer las *tonterías* que uno tiene.

IV. *Translate the following sentences into Spanish.*

1. What I like most about my country is its climate.
2. You are right, but ours is not bad either.
3. Do you have to live outside of your own country?
4. She told it to me some time ago.
5. I cannot wear my new hat without attracting attention.
6. This is the saddest story I have ever read.
7. I am only a man who likes to do nothing.
8. There is no liberty if it exists on paper but not in the heart.
9. I cannot believe that Baroja wrote this essay [*ensayo*] without exaggerating.

El éxito de Nietzsche [1]

He visto en una librería el *Anticristo*,[2] de Nietzsche, traducido al castellano, y he preguntado al librero:

—¿Se vende este libro?

—Mucho—me ha contestado.

Es extraño el éxito de Nietzsche. Por todas partes, en revistas, 5
libros y periódicos, sobre todo en los extranjeros, no se hace más
que citar el nombre del célebre filósofo prusiano. ¿De qué de-

---

[1] **The Success of Nietzsche** *Since
abulia, or the* **lack** *of will, was
one of the chief "illnesses" of
Spain decried by the writers of
the Generation of '98, it is not
surprising to find Baroja and
others turning to this German
philosopher* (1844–1900), *who
substituted for the ruling values*
*of the good, the true, and the
beautiful that of the "will to
power," that is, the will to a
stronger and higher existence, to
come from the rearing of a
higher type of man, whence Su-
perman, and the creation of a
new ruling caste.*

[2] **Anticristo** *The Antichrist,* 1888.

pende esta boga,[3] este entusiasmo tan grande? Es lo que trato de explicarme.

Pregunto a un literato [4] alemán su opinión, y me dice: "Entre nosotros, el estilo de Nietzsche explica todo o casi todo. Antes, si uno tenía interés en conocer la filosofía, necesitaba leer obras pe- 5 sadas,[5] escritas en una jerga [6] estúpida.

"Schopenhauer introdujo en la filosofía la espiritualidad,[7] la gracia. Nietzsche hizo más: puso en sus obras filosóficas, pasión.

"En Nietzsche, el estilo resplandece [8] como una piedra preciosa; 10 su lenguaje es musical como ninguno; su prosa hace un efecto parecido al de [9] las armonías de Wágner: emborracha,[10] excita los nervios, pero vivifica también. Como le digo a usted, el estilo de Nietzsche justifica la mayor parte de su éxito."

Un intelectual, hombre que está al corriente de [11] las ideas mo- 15 dernas, me dice: "Yo no creo que Nietzsche sea un gran metafísico como Kant o como Hégel; pero eso no importa. Él no habló únicamente al intelecto frío; no fue sólo un hombre de representación,[12] o, si lo fue, fue de una representación volitiva." [13]

Afirmó que la masa y la muchedumbre [14] es siempre miserable; 20 comprendió que el mundo sólo se debe a los elegidos.[15]

Un poeta paganizante [16] confiesa que si tiene respeto por Nietzsche, más que nada es por ser [17] antirreligioso. Él confesó sin temor lo que millares de hombres de nuestro tiempo han sentido, lo que estaba en el ambiente [18] moral de esta época, lo que nadie 25 se atrevía a confesar: que el cristianismo es un mal.

Desde Goethe nadie ha declarado la guerra tan enérgicamente como él a todo ascetismo,[19] nadie ha condenado con más fuerza

[3] boga   vogue.
[4] literato   learned man; man of letters.
[5] pesadas   heavy, tedious.
[6] jerga   jargon.
[7] espiritualidad   liveliness.
[8] resplandecer   to shine.
[9] al de   to that of.
[10] emborrachar   to intoxicate.
[11] está al corriente de   keeps up with.
[12] representación   authority.
[13] volitiva   of the will.

[14] la masa y la muchedumbre   the masses, the common people.
[15] los elegidos   the chosen ones.
[16] paganizante   irreligious.
[17] por ser   because he (Nietzsche) is.
[18] ambiente   atmosphere.
[19] ascetismo   asceticism (doctrine that one can discipline himself through self-denial to reach a high spiritual or intellectual state).

la doctrina absurda del pecado [20] en el hombre. Para mí, desde que el cristianismo existe, ha habido dos hombres: Juliano *el Após- tata* [21] y Nietzsche. Nietzsche era un griego, merecía no ser ale- mán; por eso los poetas le amamos.

La explicación que me da un anarquista [22] de sus simpatías por Nietzsche, hela aquí.[23] Nietzsche es de los nuestros. Su martillo [24] ha roto en mil pedazos esta losa [25] pesada e imbécil de las preocu- paciones burguesas.[26] Él ha opuesto al ideal ñoño [27] del hombre mediocre, cantado y ensalzado [28] por el socialismo, el ideal del *superhombre,* el carnívoro [29] voluptuoso errante por la vida. Los libros de Nietzsche son la bomba de Ravachol [30] en el mundo de las ideas.

Es curioso que unos entusiastas de Nietzsche se entusiasmen con aquello que otros admiradores tan fervientes desprecian.[31] Aun así, yo comprendo muy bien la admiración de los que viven en un medio exclusivamente intelectual; lo extraño es que la zona de ad- miración llegue a los que no se ocupan para nada de [32] cuestiones filosóficas.

Un político que habla de cuando en cuando del superhombre, y que aunque se llama político es más bien un hombre de negocios, me da la razón siguiente de su nietzscheanismo:

"Es un filósofo que me es simpático, aunque si quiere usted que le diga la verdad, no conozco sus libros, pero creo que era un hombre que comprendía la vida. Ya era hora que los emborrona- dores de papel [33] escribieran algo lógico sin sentimentalismos ni necedades.[34] Yo, sabe usted, cuando tropiezo con algún hombre fuerte, trato de asociarle a [35] mis negocios.

"La Humanidad ha hecho siempre lo contrario protegiendo al

---

[20] **pecado** sin.
[21] **Apóstata** Julian the Apostate, *Roman emperor* (361–363), *who abandoned Christianity and tried to restore paganism.*
[22] **anarquista** anarchist.
[23] **hela aquí** is this.
[24] **martillo** hammer.
[25] **losa** flagstone.
[26] **burguesas** bourgeois, middle class.
[27] **ñoño** timid, whiny.
[28] **ensalzado** exalted.

[29] **carnívoro** carnivore, *one of an order of mammals that is mostly flesh-eating.*
[30] **Ravachol** *French anarchist* (1859–1892).
[31] **despreciar** to scorn.
[32] **no se ocupan para nada de** don't bother at all with.
[33] **emborronadores de papel** paper scribblers.
[34] **necedades** stupidities.
[35] **asociarle a** take him into.

débil; así va ella. El fuerte se come al débil, ¿no es esto? ¿Quién ha dicho esta verdad? ¿Darwin o Nietzsche? No sé. El caso es ser fuerte."

Un egoísta razona [36] así su simpatía:

"El culto del *yo* me parece excelente. La piedad [37] es muy bonita. ¿Pero por qué me he de sacrificar yo por nadie? Yo no he nacido para santo, no tengo obligación alguna para nada ni para nadie.

"¿Que [38] hay que exterminar a todos los enfermos, miserables, cojos y tullidos? [39] Me parece bien. ¡Es tan molesto ver a toda esa gentuza [40] por las calles!" . . .

Últimamente, un bandolero,[41] que creo que ha cometido una barbaridad de desmanes [42] y que me trata,[43] me dijo:

—Desde que he leído un artículo en un periódico sobre ese filósofo en moda, estoy satisfecho; tenía ideas estúpidas en la cabeza, remordimientos . . .[44] ¡Ya ve usted qué tontería! Cuando vi escrita esta máxima: "Nada es verdad, todo es permitido", dije: éste es mi hombre. Que he hecho esto, y lo otro, y lo de más allá,[45] ¿y qué? [46] Hay hombres altos y bajos, orgullosos, cobardes, lujuriosos,[47] estúpidos. Yo soy un hombre que no tiene *moralina*.[48] Nada más.

EXERCISES *El éxito de Nietzsche*

I. *Cuestionario.*

1. ¿Ha escrito el autor una apología [defense] del cristianismo?
2. ¿Dónde se ve el éxito de Nietzsche?
3. ¿Cómo explica este éxito un literato alemán?
4. ¿Cree Vd. que se lea a Nietzsche más por su estilo que por su filosofía?

[36] **razona** rationalizes.
[37] **piedad** piety, mercy.
[38] **Que** *Supply something like* you say (that).
[39] **cojos y tullidos** lame and crippled.
[40] **gentuza** (*gente plus pejorative suffix-uza*) rabble, scum.
[41] **bandolero** robber, brigand.

[42] **una barbaridad de desmanes** an awful lot of terrible things.
[43] **me trata** knows me.
[44] **remordimientos** remorse.
[45] **lo de más allá** other things.
[46] **¿y qué?** so what?
[47] **lujuriosos** lustful.
[48] *moralina* an iota of ethics.

5. ¿Se debe el mundo sólo a los elegidos?
6. ¿Por qué tiene respeto por Nietzsche un poeta paganizante?
7. ¿Qué ideal ha opuesto Nietzsche al ideal del hombre mediocre?
8. ¿Son los intelectuales los únicos que admiran a Nietzsche?
9. ¿Por qué le parece excelente al egoísta el culto del *yo?*
10. ¿Es usted entusiasta de Nietzsche? ¿Por qué?

II. *Translate the italicized expressions below, and then state whether the statement is true or false.*

1. Generalmente, los intelectuales *están al corriente de* las ideas modernas.
2. El autor *trata de explicarse* el entusiasmo por Nietzsche.
3. *Por todas partes, no* se hace *más que* citar el nombre del célebre filósofo prusiano.
4. Cuando un admirador de Nietzsche *tropieza con* algún hombre fuerte, le dice que prefiere a los débiles.
5. El egoísta *se ocupa de* los problemas de otros.
6. Nietzsche no *se atreve a* oponer el ideal del "superhombre" al ideal del hombre mediocre.
7. El bandolero dice *una barbaridad de* tonterías acerca de la moral.
8. Según Baroja, todos *hemos de admirar* a Nietzsche.
9. *Lo extraño es* que conozca a ese bandolero.

III. *By using examples in Spanish distinguish between:*

librería *and* biblioteca
necedad *and* necesidad
desde que *and* puesto que
cuestión *and* pregunta

IV. *Uses of the subjunctive*

Observe the use of the subjunctive in the following, and then give the correct form of the verb in parentheses in the sentences below. Not all are subjunctive.

1. Yo no creo que Nietzsche *sea* un gran metafísico.
2. Es curioso que . . . *se entusiasmen* . . .
3. Lo extraño es que la zona de admiración *llegue* a . . .
4. Si quiere usted que le *diga* la verdad.

33

A.

1. No quiero que usted (*creer*) cuanto lee.
2. Diga a su amigo que (*leer*) este ensayo.
3. Todos saben que Baroja (*ser*) uno de los autores más distinguidos de España.
4. ¿Le extraña a Vd. que él (*decir*) lo que piensa?
5. Es necesario que se (*creer*) en algo.

B. *Translate*

1. It is curious that he never comes to class.
2. Do you want me to bring my car?
3. I know that he is a popular intellectual.
4. I don't believe however that his students admire him.
5. My friends want to read a lot.

V. *Observe the use of* por *and* para *in the following, and distinguish between them in examples of your own in Spanish.*

1. Si tiene respeto *por* Nietzsche . . . es *por* ser antirreligioso.
2. *Para* mí . . . ha habido dos hombres.
3. *Por* eso los poetas le amamos.
4. El hombre mediocre, cantado y ensalzado *por* el socialismo.
5. ¿*Por* qué me he de sacrificar yo *por* nadie?
6. No tengo obligación alguna *para* nada ni *para* nadie.

VI. *Translate the following sentences into Spanish.*

1. Are Nietzsche's books sold here?
2. I don't admire him *because he is* [two ways] against religion.
3. I want you to tell me the truth.
4. For some, his style is musical; that is why they read him.
5. I do not believe he is a great man.
6. Why should I do that for anybody?
7. There were three books written by Nietzsche in the bookstore.
8. He said what nobody dared to confess before.

Jacinto Benavente
1866 ▪ 1954

Four Spanish writers of this century (two from Spain, one from Chile, and the most recent one from Guatemala in 1967) have been awarded the Nobel Prize for literature; the first of these, Spain's outstanding dramatist, Jacinto Benavente, was honored in 1922. The son of a famous doctor, he was born in Madrid and, except for traveling widely through Europe, spent his whole life there.

Signaling an innovation in the theater by shunning the rhetoric of the romantic drama, Benavente's production of about two hundred plays, while of unequal merit and generally lacking in great dramatic conflict, stands out for its highly skillful dramatic technique, brilliant dialogue, and social satire. His shafts are usually directed at the upper class, striking their prejudices, hypocrisy, and materialism.

Many of his plays are intellectually entertaining satirical comedies; one of the best of these is *Los intereses creados* (1909), often produced in English under the title *The Bonds of Interest.* The characters are those of the Italian commedia dell' arte (e.g., Harlequin, Pantaloon, Punch). The rural tragedies, such as *La Malquerida* (1913), make up another important group of his plays.

In Benavente's early career, one can find a delight in imagination and fancy that goes back to his *Teatro fantástico,* the first in date of his published writings (1892), and from which *El criado de Don Juan* is taken. Benavente gives an imaginative, satiric twist to one of world literature's best known themes.

Jacinto Benavente

El criado de Don Juan [1]

Personajes:

    LA DUQUESA ISABELA
    CELIA
    DON JUAN TENORIO
    LEONELO
    FABIO

En Italia—Siglo XV

ACTO ÚNICO

CUADRO [2] PRIMERO

Calle. A un lado, la fachada de un palacio señorial.

Escena Única: FABIO *y* LEONELO. *Fabio se pasea por delante del palacio, embozado* [3] *hasta los ojos en una capa roja.*

LEONELO. (*Saliendo.*)   ¡Señor! ¡Don Juan!

FABIO.   No es don Juan.

LEONELO.   ¡Fabio!

FABIO.   A tiempo llegas. Desde esta mañana sin probar [4] bocado . . . ¿Cómo tardaste tanto?

LEONELO.   Media ciudad he corrido trayendo, y llevando cartas . . . ¿Pero don Juan?

FABIO.   La ciudad toda, que [5] no media, correrá de seguro [6] llevando y trayendo su persona. ¡En mal hora [7] entramos a su servicio!

LEONELO.   ¿Y qué haces aquí disfrazado de esa suerte? [8]

---

[1] **Don Juan** Don Juan Tenorio, *one of the great characters of world literature. The first outstanding literary presentation of Don Juan came with* El Burlador de Sevilla (1630), *by Tirso de Molina. See how Benavente treats this libertine, traditionally invincible to man, irresistible to woman.*

[2] **cuadro** part.

[3] **embozado** wrapped up.

[4] **probar** to taste.

[5] **que** *omit, or translate* and.

[6] **correrá de seguro** he must surely be running around (*the city*).

[7] **en mal hora** unluckily (*literally*, in an evil hour).

[8] **disfrazado de esa suerte** disguised like that.

FABIO. Representar lo mejor que puedo a nuestro don Juan, suspirando ante las rejas [9] de la Duquesa Isabela.

LEONELO. Nuestro don Juan está loco de vanidad. La Duquesa Isabela es una dama virtuosa, no cederá por más que [10] él se obstine.

FABIO. Ha jurado [11] no apartarse ni de día ni de noche de este sitio, hasta que ella consienta en oírle . . . y ya ves cómo cumple [12] su juramento . . .

LEONELO. ¡Con una farsa indigna de un caballero! Mucho es que [13] los servidores de la Duquesa no te han echado a palos [14] de la calle.

FABIO. No tardarán en ello. Por eso te aguardaba impaciente. Don Juan ha ordenado que apenas llegaras [15] ocupases mi puesto . . . , el suyo quiero decir. Demos la vuelta [16] a la esquina por si [17] nos observan desde el palacio, y tomarás la capa y demás señales,[18] que han de presentarse [19] hasta la hora de la paliza prometida . . . como al [20] propio don Juan . . .

LEONELO. ¡Dura servidumbre!

FABIO. ¡Dura como la necesidad! De tal madre, tal hija.[21] (*Salen.*)

CUADRO SEGUNDO

Sala en el palacio de la Duquesa Isabela.

Escena Primera: LA DUQUESA y CELIA.

CELIA. (*Mirando por una ventana.*) ¡Es increíble, señora! Dos días con dos noches lleva [22] ese caballero delante de nuestras ventanas.

DUQUESA. ¡Necio alarde! [23] Si a tales medios debe su fama de se-

---

[9] **rejas** grillwork, *such as around windows and balconies.*
[10] **por más que** no matter how much.
[11] **jurar** to swear.
[12] **cumplir** to keep.
[13] **mucho es que** it's a wonder that.
[14] **a palos** with a beating.
[15] **apenas llegaras** as soon as you arrived.

[16] **vuelta** dar la vuelta a to take a walk around.
[17] **por si** in case.
[18] **señales** disguises.
[19] **presentarse** to be worn; to be displayed.
[20] **como al** as if you were.
[21] **De tal madre, tal hija** there's no escaping it.
[22] **lleva** has been.
[23] **¡Necio alarde!** stupid display.

ductor, a costa de mujeres bien fáciles habrá sido lograda.[24] ¿Y
ése es don Juan, el que cuenta sus conquistas amorosas por los
días del año? Allá, en su tierra, en esa España feroz, de moros,[25]
de judíos y de fanáticos cristianos, de sangre impura, abrasada [26]
por tentaciones infernales, entre devociones supersticiosas y
severidad hipócrita, podrá [27] parecer terrible como demonio tentador. Las italianas no tememos al diablo. Los príncipes de la
Iglesia romana nos envían de continuo [28] indulgencias rimadas [29]
en dulces sonetos a lo Petrarca.[30]

CELIA.   Pero confesad que el caballero es obstinado . . . y fuerte.   10

DUQUESA.   Es preciso terminar de una vez. No quiero ser fábula [31]
de la ciudad. Lleva recado [32] a ese caballero de que [33] las puertas
de mi palacio y de mi estancia están francas para él. Aquí le
aguardo, sola . . . La Duquesa Isabela no ha nacido para figurar como un número en la lista de don Juan.   15

CELIA.   Señora, ved . . .

DUQUESA.   Conduce a don Juan hasta aquí. No tardes. (*Sale* CELIA.)

Escena Segunda: LA DUQUESA *y, después,* LEONELO. *La Duquesa
se sienta y espera con altivez* [34] *la entrada de don Juan.*

LEONELO.   ¡Señora!   20

DUQUESA.   ¿Quién? ¿No es don Juan? . . . ¿No erais vos [35] el que
rondaba mi palacio?

LEONELO.   Sí, yo era.

DUQUESA.   Dos días con dos noches.

LEONELO.   Algunas horas del día y algunas de la noche . . .   25

DUQUESA.   ¡Ah! ¡Extremada burla! ¿Sois uno de los rufianes [36] que
acompañan a don Juan?

LEONELO.   Soy criado suyo, señora. Le sirvo a mi pesar.[37]

DUQUESA.   Mal empleáis vuestra juventud.

---

[24] **habrá sido lograda**   must have
been won.
[25] **moros**   Moors.
[26] **abrasada**   burned.
[27] **podrá**   *subject is* he.
[28] **de continuo**   continuously.
[29] **rimadas**   rhymed.
[30] **a lo Petrarca**   in the style of Petrarch.

[31] **fábula**   talk.
[32] **recado**   message.
[33] **de que**   to the effect that.
[34] **con altivez**   arrogantly.
[35] **vos**   you; *this form was widely
used in Old Spanish.*
[36] **rufianes**   scoundrels.
[37] **a mi pesar**   against my wishes.

LEONELO.   ¡Dichosos los que pueden seguir en la vida la senda [38] de sus sueños!

DUQUESA.   Camino muy bajo habéis emprendido.[39] Salid.

LEONELO.   ¿Sin mensaje alguno de vuestra parte para don Juan?   5

DUQUESA.   ¡Insolente!

LEONELO.   Supuesto que [40] le habéis llamado . . .

DUQUESA.   Sí: le llamé para que, por vez primera en su vida, se hallara frente a frente de una mujer honrada, para que nunca pudiera decir que una dama como yo no tuvo más defensa con-   10 tra él que evitar su vista.

LEONELO.   Así como a vos ahora, oí a muchas mujeres responder a don Juan, y muchas le desafiaron [41] como vos, y muchas como vos le recibieron altivas . . .

DUQUESA.   ¿Y don Juan no escarmienta? [42]   15

LEONELO.   ¡Y no escarmientan las mujeres! La muerte, el remordimiento, la desolación, son horribles y no pueden enamorarnos; pero les [43] precede un mensajero seductor, hermoso, juvenil . . . , el peligro, eterno enamorador de las mujeres . . . , evitad el peligro, creedme; no oigáis a don Juan.   20

DUQUESA.   Me confundís con el vulgo de las mujeres.[44] No en vano andáis al servicio de ese caballero de fortuna . . .

LEONELO.   No en vano llevo mi alma entristecida por tantas almas de nobles criaturas amantes de don Juan. ¡Cuánto lloré por ellas! Mi corazón fue recogiendo [45] los amores destrozados en su lo-   25 cura por mi señor, y en mis sueños terminaron felices tantos amores de muerte y de llanto . . .[46] ¡Un solo amor de don Juan hubiera sido [47] la eterna ventura [48] de mi vida! . . . ¡Todo mi amor inmenso no hubiera bastado a consolar a una sola de sus enamoradas! ¡Riquísimo caudal [49] de amor derrochado [50] por   30 don Juan junto a mí, pobre mendigo de amor! . . .

---

[38] senda   path.
[39] emprender   to undertake.
[40] supuesto que   inasmuch as.
[41] desafiar   to defy; to challenge.
[42] escarmentar   to learn by experience.
[43] les   them (referring to the nouns just mentioned).

[44] el vulgo de las mujeres   common, ordinary women.
[45] recoger   to pick up.
[46] llanto   weeping.
[47] hubiera sido   would have been.
[48] ventura   happiness.
[49] caudal   abundance.
[50] derrochar   to waste; to squander.

DUQUESA.   ¿Sois poeta? Sólo un poeta se acomoda a vivir como vos, con el pensamiento y la conciencia en desacuerdo.

LEONELO.   Sabéis de los poetas, señora; no sabéis de los necesitados . . .

DUQUESA.   Sé . . . que no me pesa del[51] engaño de don Juan . . . al oíros . . . Ya me interesa saber de vuestra vida . . . Decidme qué os trajo a tan dura necesidad . . . No habrá peligro en escucharos como en escuchar a don Juan . . . , aunque seáis mensajero suyo, como vos decís que el peligro es mensajero de la muerte . . . Hablad sin temor.

LEONELO.   ¡Señora!

Escena Tercera: DICHOS *y* DON JUAN; *con la espada desenvainada,[52] entra con violencia.*

DUQUESA.   ¿Cómo llegáis hasta mí de esa manera? ¿Y mi gente? . . . ¡Hola!

DON JUAN.   Perdonad. Pero comprenderéis que no he de permitir que mi criado me sustituya tanto tiempo . . .

DUQUESA.   ¡Con ventaja!

DON JUAN.   No podéis apreciarla todavía.

DUQUESA.   ¡Oh! ¡Basta ya! . . . (*A* LEONELO.) ¿No dices[53] que la necesidad te llevó al indigno oficio de servir a este hombre? ¿Te pesa la servidumbre? ¿Ves cómo insultan a una dama en tu presencia y eres bien nacido? Ya eres libre . . . y rico . . .

DON JUAN.   ¿Le tomáis a vuestro servicio?

DUQUESA.   Quiero humillaros cuanto pueda . . .[54] (*A* LEONELO.) Mi amor es imposible para don Juan; mi amor es tuyo si sabes merecerlo . . .

LEONELO.   ¡Vuestro amor!

DON JUAN.   A mí te iguala. Eres noble por él . . .[55]

LEONELO.   ¡Señora!

DUQUESA.   ¡Fuera[56] la espada! Mi amor es tuyo . . . lucha sin miedo. (DON JUAN *y* LEONELO *combaten. Cae muerto* LEONELO.)

LEONELO.   ¡Ay de mí!

---

[51] **no me pesa del**   I'm not concerned about.

[52] **desenvainada**   drawn.

[53] **dices**   *Note the change to the familiar form, singular.*

[54] **cuanto pueda**   as much as I can.

[55] **por él**   because of it (*amor*).

[56] **¡Fuera!**   out with; draw.

DUQUESA. ¡Dios mío!

DON JUAN. ¡Noble señora! Ved lo que cuesta una porfía . . .[57]

DUQUESA. ¡Muerto! Por mí . . . ¡Favor! . . .[58] ¡Dejadme salir! Tengo miedo, mucho miedo . . .

DON JUAN. Estáis conmigo . . .   5

DUQUESA. Se agolpa[59] la gente ante las ventanas . . . ¡Una muerte en mi casa!

DON JUAN. ¡No tembléis! Pasaron, oyeron ruido y se detuvieron . . . A mi cargo corre[60] sacar de aquí el cadáver sin que nadie sospeche . . .   10

DUQUESA. ¡Oh! Sí, salvad mi honor . . . ¡Si supieran! . . .

DON JUAN. No saldré de aquí sin dejaros tranquila . . .

DUQUESA. ¡Oh! No puedo miraros . . . , me dais espanto . . . ¡Dejadme salir!

DON JUAN. No, aquí, a mi lado . . . Yo también tengo miedo de 15
no veros . . . , por vos he dado muerte a un desdichado . . . No me dejéis, o saldré de aquí para siempre, y suceda lo que suceda . . . ,[61] vos explicaréis como podáis el lance.

DUQUESA. ¡Oh, no me dejéis! Pero lejos de mí, no habléis, no os acerquéis a mí . . . (*Queda en el mayor abatimiento.*[62])   20

DON JUAN. (*Contemplándola. Aparte.*) ¡Es mía! ¡Una más! . . . (*Contemplando el cadáver de* LEONELO.) ¡Pobre Leonelo!

EXERCISES *El criado de Don Juan*

I. *Cuestionario.*

1. ¿Dónde tiene lugar la comedia [play]?
2. ¿Quiénes son Fabio y Leonelo? ¿Les gusta su oficio?
3. ¿Por qué se pasea Fabio por delante del palacio?
4. ¿Por qué aguardaba Fabio tan impaciente a Leonelo?
5. ¿Qué piensa la duquesa de don Juan? ¿Le teme?
6. ¿Por qué ha llamado la duquesa a don Juan?

[57] **una porfía**   your obstinacy.
[58] **¡Favor!**   help!
[59] **agolparse**   to crowd.
[60] **a mi cargo corre**   I'll take it upon myself.
[61] **suceda lo que suceda**   come what may.
[62] **abatimiento**   depression.

7. ¿Es ella la única mujer que desafía a don Juan?
8. ¿Por qué se interesa la duquesa en Leonelo?
9. ¿Por qué ofrece su amor a Leonelo? ¿Qué debe hacer éste para merecerlo?
10. ¿Por qué tiene miedo la duquesa después de la muerte de Leonelo?

II. *Give the opposite number (singular to plural, plural to singular) of the following imperatives. Then give the negative, or affirmative, of these imperatives.*

confesad   no tardes
no oigáis   créeme
ved   decidme
conduce   salva
ponga   no me dejéis

III. *Select the appropriate verb form in parentheses. The sentences are taken from the text.*

1. Le llamé para que (*se hallara, se hallaría, se halle*) frente a frente de una mujer honrada.
2. Decidme qué os (*trajese, trajo*) a tan dura necesidad.
3. Ha jurado no apartarse de este sitio hasta que ella (*consentirá, consienta, consiente*) en oírle.
4. Sacaré de aquí el cadáver sin que nadie (*sospeche, sospecha, sospechar*).
5. Las italianas no (*tememos, temamos*) al diablo.
6. Don Juan ha ordenado que apenas llegaras (*ocupes, ocuparás, ocupases*) mi puesto.
7. No volveré nunca, y suceda lo que (*sucederá, suceda, sucede*).
8. No saldré de aquí sin (*dejaros, os deje, os deja*) tranquila.
9. La duquesa no cederá por más que él se (*obstine, obstina, obstinará*).
10. Si a tales medios debe su fama de seductor, (*hubiera sido lograda, habrá sido lograda*) a costa de mujeres fáciles.

IV. *Indicate whether the following are true or false.*

1. Don Juan no se aparta ni de día ni de noche de delante del palacio.

2. Les gusta a los criados ayudar a su amo en sus conquistas.
3. La duquesa es una mujer altiva que desprecia a don Juan.
4. La duquesa no hace caso a los consejos de Leonelo.
5. Ella se interesa en Leonelo porque éste es un rufián sin alma.
6. Don Juan queda en el mayor abatimiento al oír que la duquesa ofrece su amor a Leonelo.
7. Don Juan no ha entrado en el palacio a matar a Leonelo.
8. Don Juan no se ocupa de la moral de sus acciones.

V. *Translate the following sentences into Spanish.*

1. That man is probably Don Juan's servant.
2. He strolls day and night in front of the palace.
3. He won't leave until she comes out to the street.
4. Are you the one who is not afraid of Don Juan?
5. Do not listen to him; he will deceive [*engañar*] you.
6. My love is yours; it makes us equal.
7. He was killed by his master.
8. He died for me! Let me leave!

Jorge Luis Borges
1899 ■

Poet, essayist, and short story writer, Jorge Luis Borges is one of the major figures in world literature. The award of the Formentor international prize for literature in 1961 was tangible evidence of the great respect that is accorded him at home and abroad.

Born in Argentina, he was educated in Europe. His years of literary apprenticeship from 1918 to 1921 were spent among the experimentalist poets of France, Switzerland, and Spain. Returning to Buenos Aires in 1921, he became a leading poet, gradually moving into prose expression with essays and stories that are among the best to be found in contemporary literature. A man of vast erudition, Borges has translated works by Melville, Kafka, Faulkner, and Virginia Woolf, among others. Many of his own works have been translated into several languages.

Borges' stories are a marvelous combination of fantasy and metaphysical themes. He has created a world in which the intellect and the imagination exist free from the limitations of the temporal and the real. The endings of the stories generally come as a startling surprise, as will be seen in *El brujo postergado*. In this tale, Borges has brought up to date one of the oldest short stories in the Spanish language. This delightful fantasy first appeared in Spanish in 1335 in the *Libro del Conde Lucanor*, a collection of fifty didactic tales.

El brujo postergado [1]

En Santiago [2] había un deán [3] que tenía codicia [4] de aprender el arte de la magia. Oyó decir que don Illán de Toledo la sabía más que ninguno, y fue a Toledo a buscarlo.

El día que llegó enderezó [5] a la casa de don Illán y lo encontró leyendo en una habitación apartada. Éste lo recibió con bondad y   5 le dijo que postergara el motivo de su visita hasta después de comer. Le señaló un alojamiento muy fresco y le dijo que lo alegraba mucho su venida.[6] Después de comer, el deán le refirió [7] la razón de aquella visita y le rogó que le enseñara la ciencia mágica. Don Illán le dijo que adivinaba que era deán, hombre de 10 buena posición y buen porvenir, y que temía ser olvidado luego por él. El deán le prometió y aseguró que nunca olvidaría aquella merced,[8] y que estaría siempre a sus órdenes. Ya arreglado el asunto,[9] explicó don Illán que las artes mágicas no se podían aprender sino [10] en sitio apartado, y tomándolo por la mano, lo llevó a 15 una pieza contigua,[11] en cuyo piso había una gran argolla de fierro.[12] Antes le dijo a la sirvienta que tuviese perdices [13] para la cena, pero que no las pusiera a asar hasta que la mandaran. Levantaron la argolla entre los dos y descendieron por una escalera de piedra bien labrada, hasta que al deán le pareció que habían bajado 20 jado tanto que el lecho del Tajo [14] estaba sobre ellos. Al pie de la escalera había una celda y luego una biblioteca y luego una especie de gabinete [15] con instrumentos mágicos. Revisaron [16] los libros y en eso estaban [17] cuando entraron dos hombres con una carta para el deán, escrita por el obispo, su tío, en la que le hacía saber 25

[1] **postergar** to delay, put off.
[2] **Santiago** *city in Galicia, Spain.*
[3] **deán** dean (*high official of a cathedral*).
[4] **tenía codicia de** desired fervently to.
[5] **enderezar** to go directly.
[6] **lo alegraba mucho su venida** his coming made him very happy.
[7] **referir** to tell, relate.
[8] **merced** favor.
[9] **ya arreglado el asunto** with the matter now settled.

[10] **no . . . sino** could be learned only.
[11] **pieza contigua** adjoining room.
[12] **argolla de fierro** iron ring.
[13] **perdiz** partridge.
[14] **Tajo** *one of Spain's principal rivers; it flows through the city of Toledo.*
[15] **gabinete** cabinet.
[16] **revisar** to examine.
[17] **en eso estaban** they were engaged in this.

que estaba muy enfermo y que, si quería encontrarlo vivo, no demorase.[18] Al deán lo contrariaron mucho estas nuevas, lo uno [19] por la dolencia [20] de su tío, lo otro por tener que interrumpir los estudios. Optó por escribir una disculpa y la mandó al obispo. A los tres días llegaron unos hombres de luto [21] con otras cartas para el deán, en las que se leía que el obispo había fallecido, que estaban eligiendo sucesor, y que esperaban por la gracia de Dios que lo elegirían a él. Decían también que no se molestara [22] en venir, puesto que parecía mucho mejor que lo eligieran en su ausencia.

A los diez días vinieron dos escuderos muy bien vestidos, que se arrojaron a sus pies y besaron sus manos, y lo saludaron obispo. Cuando don Illán vio estas cosas, se dirigió con mucha alegría al nuevo prelado y le dijo que agradecía al Señor que tan buenas nuevas llegaran a su casa. Luego le pidió el decanazgo [23] vacante para uno de sus hijos. El obispo le hizo saber que había reservado el decanazgo para su propio hermano, pero que había determinado favorecerlo y que partiesen juntos para Santiago.

Fueron para Santiago los tres, donde los recibieron con honores. A los seis meses recibió el obispo mandaderos [24] del Papa que le ofrecía el arzobispado de Tolosa,[25] dejando en sus manos el nombramiento de sucesor. Cuando don Illán supo esto, le recordó la antigua promesa y le pidió ese título para su hijo. El arzobispo le hizo saber que había reservado el obispado para su propio tío, hermano de su padre, pero que había determinado favorecerlo y que partiesen juntos para Tolosa. Don Illán no tuvo más remedio [26] que asentir.

Fueron para Tolosa los tres, donde los recibieron con honores y misas. A los dos años, recibió al arzobispo mandaderos del Papa que le ofrecía el capelo [27] de Cardenal, dejando en sus manos el nombramiento de sucesor. Cuando don Illán supo esto, le recordó la antigua promesa y le pidió ese título para su hijo. El Cardenal le hizo saber que había reservado el arzobispado para su propio

[18] **demorar** to delay.
[19] **lo uno . . . lo otro** on the one hand . . . on the other.
[20] **dolencia** illness.
[21] **de luto** (*dressed*) in mourning.
[22] **molestarse en** to take the trouble to, to bother to.
[23] **decanazgo** deanship.
[24] **mandaderos** messengers.
[25] **Tolosa** Toulouse, *in southern France.*
[26] **no tuvo más remedio que** had no choice but.
[27] **capelo** cardinal's hat.

tío, hermano de su madre, pero que había determinado favorecerlo y que partiesen juntos para Roma. Don Illán no tuvo más remedio que asentir. Fueron para Roma los tres, donde los recibieron con honores y misas y procesiones. A los cuatro años murió el Papa y nuestro Cardenal fue elegido para el papado por todos los demás. Cuando don Illán supo esto, besó los pies de Su Santidad, le recordó la antigua promesa y le pidió el cardenalato para su hijo. El Papa lo amenazó con la cárcel, diciéndole que bien sabía él que no era más que un brujo y que en Toledo había sido profesor de artes mágicas. El miserable don Illán dijo que iba a volver a España y le pidió algo para comer durante el camino. El Papa no accedió. Entonces don Illán (cuyo rostro se había remozado [28] de un modo extraño), dijo con una voz sin temblor:

—Pues tendré que comerme las perdices que para esta noche encargué.[29]

La sirvienta se presentó y don Illán le dijo que las asara. A estas palabras, el Papa se halló en la celda subterránea en Toledo, solamente deán de Santiago, y tan avergonzado de su ingratitud que no atinaba a disculparse.[30] Don Illán dijo que bastaba con esa prueba,[31] le negó su parte de las perdices y lo acompañó hasta la calle, donde le deseó feliz viaje y lo despidió [32] con gran cortesía.

EXERCISES   *El brujo postergado*

I. *Cuestionario*

1. ¿Qué quería aprender el deán de Santiago?
2. ¿Por qué se fue a Toledo?
3. Cuando llegó a casa de don Illán, ¿qué le dijo éste?
4. ¿Qué temía don Illán?
5. ¿Qué le prometió el deán?
6. ¿Por qué llevó don Illán al deán a un sitio apartado?
7. ¿Qué le dijo a la sirvienta?
8. ¿Qué revela la carta que trajeron los dos hombres?

[28] **remozarse** to become younger.
[29] **encargué** I ordered.
[30] **no atinaba a disculparse** he wasn't able to offer excuses.
[31] **bastaba con esa prueba** this test was enough for him.
[32] **despedir** to dismiss.

9. ¿Por qué contrariaron mucho al deán estas nuevas?
10. ¿Por qué se alegró don Illán al ver que el deán fue elegido obispo?
11. ¿Quién acompañó al deán y a don Illán a Santiago?
12. Cuando el deán fue nombrado arzobispo de Tolosa, ¿por qué no le cedió a don Illán el obispado?
13. ¿Qué nuevo honor recibió el deán en Roma?
14. ¿Cómo cumplió ahora con su promesa a don Illán?
15. ¿A qué perdices se refiere don Illán al final del cuento?
16. ¿Dónde se halló de repente el deán de Santiago?
17. ¿Cómo se explica esto?
18. ¿Quién es el brujo postergado del título?

II. *Using the words below, supply the correct Spanish for the English phrases in the following sentences.*

tener codicia de	oír decir	referir
arreglar el asunto	sino	por tener que
a los tres días	hacer saber	saber

1. Cuando don Illán (*learned, found out*) esto, le recordó la antigua promesa.
2. (*He heard*) que don Illán vivía en Toledo.
3. El obispo (*let him know*) que lo había reservado para su propio hermano.
4. Después de comer, el deán le (*told*) la razón de aquella visita.
5. (*Three days later*) llegaron unos hombres de luto.
6. Estas nuevas contrariaron al deán (*because he had to*) interrumpir los estudios.
7. (*The matter now settled*) los dos bajaron a la biblioteca.
8. Las artes mágicas no se pueden aprender (*except*) en sitio apartado. .
9. Había un deán que (*fervently desired*) aprender el arte de la magia.

III. *The subjunctive*

Observe the following examples from the text:

le dijo que postergara el motivo de su visita.
le rogó que le enseñara la ciencia mágica.

but:

le dijo que agradecía al Señor tan buenas nuevas.

In the following sentences, put the verb in parentheses into the proper form of the indicative or subjunctive.

1. Don Illán dijo a la sirvienta que (*tener*) perdices para la cena, pero que no las (*poner*) a asar hasta que la (*mandar*).
2. Los hombres decían también al deán que no (*molestarse*) en venir.
3. Le dijeron al deán que don Illán (*saber*) el arte de la magia más que ninguno.
4. Don Illán dijo que (*bastar*) con esa prueba.
5. Dígale al deán que (*cumplir*) con su promesa.
6. Pidió al deán que (*dar*) el decanazgo a su hijo.

IV. *Review the following expressions, and translate the sentences below.*

> **oír decir que** to hear that
> **hacer saber** to let know, to notify
> **optar por** to choose to
> **a los diez años** ten years later
> **no tener más remedio que** to have no choice but
> **no . . . sino** only

1. The dean told Don Illán to leave with him for Santiago.
2. Don Illán had no choice but to agree [*asentir*].
3. Four years later the Pope died and the dean was elected.
4. We heard that he knows more about magic than anyone.
5. My father told me to stay there or come home; I chose to stay there.
6. There are certain things that can happen only in a story.
7. The dean let him know that he had reserved this title for his own son.
8. You cannot become a wizard [magician] by being ungrateful [*ingrato*].

El cautivo [1]

En Junín o en Tapalqué refieren [2] la historia. Un chico desapa-

---

[1] **cautivo** captive.   [2] **referir** to relate, to tell.

reció después de un malón; [3] se dijo que lo habían robado los indios. Sus padres lo buscaron inútilmente; al cabo de los años, un soldado que venía de tierra adentro [4] les habló de un indio de ojos celestes que bien podía ser su hijo. Dieron al fin con él [5] (la crónica ha perdido las circunstancias y no quiero inventar lo que no sé) y creyeron reconocerlo. El hombre, trabajado [6] por el desierto y por la vida bárbara, ya no sabía oír [7] las palabras de la lengua natal, pero se dejó conducir, indiferente y dócil, hasta la casa. Ahí se detuvo, tal vez porque los otros se detuvieron. Miró la puerta, como sin entenderla. De pronto bajó la cabeza, gritó, atravesó corriendo el zaguán [8] y los dos largos patios y se metió en la cocina. Sin vacilar, hundió el brazo en la ennegrecida campana [9] y sacó el cuchillito de mango de asta [10] que había escondido ahí, cuando chico. Los ojos le brillaron de alegría y los padres lloraron porque habían encontrado al hijo.

Acaso a este recuerdo siguieron otros, pero el indio no podía vivir entre paredes y un día fue a buscar su desierto. Yo querría saber qué sintió en aquel instante de vértigo en que el pasado y el presente se confundieron; yo querría saber si el hijo perdido renació y murió en aquel éxtasis o si alcanzó [11] a reconocer, siquiera como una criatura o un perro, los padres y la casa.

EXERCISES *El cautivo*

I. *Cuestionario*

1. ¿Qué le había sucedido al chico?
2. ¿Lo encontraron sus padres?
3. ¿Por qué creía el soldado que cierto indio podía ser el hijo?
4. Cuando dieron los padres con él, ¿lo reconocieron?
5. ¿A dónde se dejó conducir el indio?
6. ¿Qué hizo de pronto al entrar en la casa?

[3] **malón** Indian raid.
[4] **tierra adentro** the interior.
[5] **Dieron . . . con él** (at last) they found him.
[6] **trabajado** *here,* formed, conditioned.

[7] **no sabía oír** (he) did not understand.
[8] **zaguán** entrance hall.
[9] **ennegrecida campana** blackened fireplace chimney.
[10] **mango de asta** horn handle.
[11] **alcanzar a** to manage to.

7. ¿Qué sacó de la ennegrecida chimenea?
8. ¿Cómo sabía el indio que el cuchillito estaba allí?
9. ¿Por qué no se quedó con sus padres?
10. ¿Le parece a usted que el indio debió quedarse con ellos?

II. *Complete the following by selecting the appropriate word or words in parentheses.*

1. Se dijo que el chico fue robado por (*los indios, un lobo, un brujo*).
2. Sus padres lo buscaron (*alegremente, inútilmente*).
3. Un soldado les habló de un indio de (*pelo rubio, ojos celestes, buenas maneras*).
4. Los padres al fin (*olvidaron a, dieron con*) su hijo.
5. Sin (*vacilar, vacilando*), sacó el cuchillito.
6. Los padres lloraron porque habían (*encontrado, perdido, castigado*) al hijo.
7. Pero el indio no podía vivir entre (*amigos, paredes*).
8. Un día fue a buscar su (*desierto, coche, pasado*).

III. *Infinitive with prepositions.*

Examples from text:

Miró la puerta, como sin entenderla.
Sin vacilar, hundió el brazo en la campana.

Translate the verb forms in parentheses in the following sentences. Not all require the infinitive.

1. El indio se fue sin (*saying*) palabra.
2. No podía seguir (*living*) entre paredes.
3. Antes de (*finding*) a su hijo, los padres sufrieron mucho.
4. Los padres lloraron después de (*recognizing*) al hijo.
5. Se aprende mucho (*by reading*).

IV. *Review the following, and translate the sentences below.*

Al cabo de los años
Dieron al fin con él
Se dejó conducir
Yo querría saber qué sintió en aquel instante.

1. I think that *The Captive* has more than one meaning.
2. It is said that the boy was stolen by Indians.
3. At the end of many months, his parents finally found (came across) him.
4. He allowed himself to be brought to the house, without knowing why.
5. He had not forgotten the little knife which he had hidden in the chimney.
6. Wouldn't you like to know what he felt at that moment?

Azorín
1873 ▪ 1967

José Martínez Ruiz, better known by the pseudonym Azorín, was born in the province of Alicante, in southeastern Spain. After studying law in Valencia, he went to Madrid, where he began his literary career as a journalist and where he resided until his death in 1967.

Azorín's prolific production includes novels, plays, short stories, criticism, and, above all, essays. As with other members of the Generation of '98, his early writings reveal a violent protest against Spain's traditions; *abulia* is also a dominant theme. However, a change is soon noted; while continuing to seek reforms and showing traces of pessimism, his tone becomes personal, lyrical, as he seeks the essence of Spain in its common people, its towns and countryside, and in its classics. More so than anyone else, he becomes the elegant, impressionistic painter of Castilla, whose beauty he depicts with emotion and sensitivity, in a style characterized by simplicity, clarity, and precision, and with a technique that emphasizes the small details of everyday happenings. He is a miniaturist, a loving and tender one who gives a soul to the common things which he describes. In his poetic vision of Spain, Azorín seeks the intimate spiritual reality of its people and things.

In some of his early works, such as *Los pueblos, España,* and *Castilla* (from which our second selection is taken), we also find another dominant preoccupation—time, which seems to run through his works like a *leitmotiv.* Men, cities, events, are transitory and disappear, but the many minute details that incorporate the ultimate truth of Spain, by repeating themselves incessantly, are immutable, and tie the past to the present and the present to the future. Azorín evokes the past with sadness and resignation, with words full of lyric emotion.

El maestro

Despacho [1] *suntuoso de literato; gran mesa-escritorio* [2] *cargada de libros, revistas, papeles. Biblioteca.*

I

EL JOVEN; *después,* EL MAESTRO.

UNA VOZ. (*Dentro.*) Pase usted al despacho . . . Voy a avisar [3] al señor . . .

EL JOVEN. (*Veinte años; aire tímido. Entra, y después de mirar a su alrededor,*[4] *se sienta con cuidado en una butaca.*[5] *Se arregla la corbata. Toma actitud solemne.*) Servidor de usted . . .[6]

EL MAESTRO. (*Viejecillo ligeramente encorvado;* [7] *ojos vivarachos;* [8] *se frota las manos a menudo.*[9] *Procura estar siempre jovial. Traje negro, limpio, de larga levita* [10] *abierta.*) Muy señor mío . . . Usted dirá . . .[11] Pero ¡siéntese usted! (*Se sientan.*)

EL JOVEN. Yo traía para usted una carta de don Ramón Ossorio . . . (*Saca y le entrega la carta.*)

EL MAESTRO. ¡Hombre, don Ramón Ossorio! ¿Y qué hace por allá el bueno de [12] don Ramón? Pero ¡si yo creía! . . .[13] (*Acercándose al balcón para leer la carta.*) "Te presento y recomiendo fraternalmente . . . al notable escritor y buen amigo . . . Sírvele de [14] maestro . . . Tu mucha experiencia . . ." (*Cesando de leer.*) ¿Y usted es escritor?

EL JOVEN. (*Modestamente, turbado.*[15]) Mire usted: yo . . . algunos artículos he escrito.

EL MAESTRO. ¿Y es usted de . . . ?

EL JOVEN. De Gerona.[16]

---

[1] **despacho** study.
[2] **mesa-escritorio** table desk.
[3] **avisar** to inform.
[4] **a su alrededor** around him.
[5] **butaca** armchair.
[6] **Servidor de usted** your servant (*polite formula of address*).
[7] **encorvado** stooped.
[8] **vivarachos** lively.
[9] **a menudo** often.
[10] **levita** frock coat.
[11] **Muy señor mío . . . Usted dirá . . .** My dear sir . . . Please tell me . . .
[12] **el bueno de** good old.
[13] **¡si yo creía!** who would have thought!
[14] **de** as.
[15] **turbado** confused, embarrassed.
[16] **Gerona** *City in northeast Spain, north of Barcelona.*

EL MAESTRO. (*Hablando para sí.*) De Barcelona . . . ¡Vaya, vaya!

EL JOVEN. (*Más fuerte.*[17]) ¡De Gerona!

EL MAESTRO. ¡Ah, vamos! De Gerona . . . ¿Y qué tal tiempo hace por Gerona? ¿Allí hará mucho frío?

EL JOVEN. (*Por decir algo.*) Sí, señor; allí hace ahora mucho frío. 5
Y en el verano . . . , calor.

EL MAESTRO. ¿Hace calor en el verano en Gerona? ¡Vaya, vaya! Precisamente en Gerona tengo yo un amigo . . . ¡Oh, un erudito de gran entendimiento! Don Pablo Piferrer . . . ¿Conoce usted a don Pablo Piferrer? 10

EL JOVEN. No, señor . . . No tengo el honor de conocer al señor Piferrer.

EL MAESTRO. ¡Calle! [18] ¡Ahora que recuerdo! ¡Si [19] don Pablo Piferrer es de Tarragona! Dispense usted . . . , dispense usted. ¡Je, je, je! (*El Joven ríe también, para que el maestro no tome a* 15
mal [20] *su seriedad.*) ¿Conque usted es escritor? ¡Vaya, vaya! Y diga usted, diga usted . . . ¿Qué género [21] es el que prefiere usted? Vamos, la poesía . . . No, no lo niegue [22] usted . . . La poesía . . . así, algo tierna . . . algo . . . (*El Joven hace signos de que no.*) ¿No? ¿No es usted poeta? Pues entonces, ¡vaya!, 20
pues entonces, el drama . . . ¿Tendrá usted [23] escrito ya su drama? La generación nueva está por el teatro . . . No lo niegue usted; lo sé. El teatro es hoy el género más . . . , más . . .

EL JOVEN. (*Continúa negando.*) No, señor; usted dispense . . . No es mi vocación el teatro . . . 25

EL MAESTRO. ¡Cómo! ¿No le gusta a usted el teatro? Pues entonces . . . , pues entonces . . . ¡Ya caigo! [24] ¡Oh, el sacerdocio de la crítica! [25] ¡Descubrámonos,[26] ¡je, je¡, ante la crítica! ¡Vaya, vaya! . . . Conque crítico, ¿eh? Pues es un género muy difícil, sumamente difícil . . . , convenga usted conmigo. ¡Muy resba- 30
ladizo! [27] ¡Mucho! . . . Y después . . . , después . . .

---

[17] **más fuerte**   louder.
[18] **¡calle!**   stop!
[19] **¡Si!**   of course.
[20] **tomar a mal**   to take offense at.
[21] **género**   literary genre.
[22] **negar**   to deny.
[23] **tendrá usted**   *Future of probability* I suppose you have.

[24] **¡ya caigo!**   (*from* caer) I have it!
[25] **¡el sacerdocio de la crítica!**   the sanctity of criticism!
[26] **Descubrámonos**   our hats off!
[27] **resbaladizo**   slippery.

EL JOVEN. (*Niega nuevamente.*) Perdón; pero la crítica . . . No es ésa mi vocación.

EL MAESTRO. (*Después de una pausa, en que le examina curiosamente.*) ¿Tampoco la crítica? . . . (*Encontrando la idea.*) Pero, hombre, ¡si debí principiar por ahí! ¡Por la novela! ¡Por mi género! . . . ¿De modo que [28] aspira usted a ser novelista? Seremos compañeros . . . ¡Je, je, je!

EL JOVEN. (*Corrigiendo.*) Discípulo . . .

EL MAESTRO. No, no; ¡quite usted! [29] No me haga usted "dómine" [30] . . . Nada de dogmas ni de pontífices. Compañeros, sencillamente compañeros . . . (*El Joven hace signos de resignación.*) Pues, hombre, celebro [31] mucho . . . , celebro infinito que se dedique usted a la novela . . . ¡vaya, vaya! ¿Y habrá usted escrito ya algo? ¡No, no lo oculte usted! Usted tiene ya hecho algo . . .

EL JOVEN. Sí, señor; algunos cuentos . . .

EL MAESTRO. (*Echándose hacia atrás y mirándole otra vez atentamente.*) ¡Hombre!, ¿cuentos? ¡Mi especialidad! ¿Pues sabe usted que eso es todavía más difícil? ¡Oh los cuentos! ¿Y ha escrito usted muchos? ¿Prepara usted algún volumen? De seguro . . . No lo oculte usted . . . ¡Entre compañeros! . . .

EL JOVEN. Algo hay, sí señor . . .

EL MAESTRO. ¿No lo dije? . . . No vacile usted en consultarme nada.[32] Estoy a su disposición en lo poco que valgo . . . Tendré mucho gusto . . . Tiene usted algo escrito, ¿no es eso?

EL JOVEN. (*Modestamente.*) Sí, señor. He escrito un cuento largo . . . , una novelita . . .

EL MAESTRO Sí, sí; comprendo . . . Lo que llaman los franceses *nouvelle* . . . ¡Je, je, je! Vaya, no tenga usted reparo [33] en consultármela.

EL JOVEN. (*Saca un manuscrito del bolsillo* [34]) Se titula "Triunfo de amor".

EL MAESTRO. (*Lentamente.*) ¿"Triunfo de amor"? Pues crea usted, crea usted que me gusta. (*Tomando el manuscrito y leyendo.*) "Triunfo de amor".

---

[28] **De modo que**   so that.
[29] **¡quite usted!**   none of that!
[30] **dómine**   master, lord.
[31] **celebrar**   to welcome, be glad.

[32] **nada**   about anything.
[33] **tener reparo**   to be bashful.
[34] **bolsillo**   *here*   briefcase.

EL JOVEN. (*Queriendo explicar la acción.*) Sí señor; un muchacho
. . . , un aldeano . . .[35] que . . .

EL MAESTRO. No, por Dios,[36] no. Quiero reservarme el placer de
leer su obra . . . ¡Ah, y seré sincero, y le diré a usted sin rodeos [37] lo que me parezca! Porque supongo que usted no tendrá 5
inconveniente [38] en . . .

EL JOVEN. ¡Oh, no, señor! Muy honrado . . .

EL MAESTRO. Pues la leeré; crea usted que tendré mucho gusto
. . . ¡De ustedes es el porvenir . . . , de la gente nueva, que
principia! Nosotros los viejos, ya hemos andado nuestro camino 10
. . . ¡Ustedes son nuestro consuelo!

EL JOVEN. (*Tratando de retirarse.*) Con permiso de usted . . . Me
parece que . . .

EL MAESTRO. ¡Oh, no! Usted no abusa . . .[39] Ésta es su casa y yo
su compañero; maestro, no. (*Se levantan.*) Y . . . ya tendré el 15
gusto de darle mi opinión . . . , pobre, pero honrada . . . ¡Je,
je, je! Y venga usted por aquí, y hablaremos . . .

EL JOVEN. (*Sonriendo cándidamente.*) Sí, señor, sí . . .

EL MAESTRO. ¡Ah! Y cuando le escriba usted a don Ramón, expresiones mías . . .[40] ¡Caramba con [41] don Ramón! ¡Vaya, usted 20
siga bien,[42] ilustre joven! (*Dándole palmaditas [43] en la espalda.*)

EL JOVEN. Beso a usted la mano.[44] (*Salen. Queda un momento
desierta la estancia.*)

II

EL MAESTRO, *solo; después,* un CRIADO

EL MAESTRO. (*Entra frotándose las manos.*) ¡La juventud, la ju- 25
ventud! Gente nueva . . . ¡Je, je, je! Gente nueva . . . (*Mis-
teriosamente.*) ¡La juventud no está en la cabeza; está aquí, en
el corazón! . . . Ideas nuevas . . . , moldes nuevos . . . ¡Ton-

---

[35] **aldeano**   villager.
[36] **por Dios**   goodness, please, *etc.*
    Mild exclamation in Spanish.
[37] **sin rodeos**   honestly; without beat-
    ing around the bush.
[38] **tener inconveniente**   to object to;
    to mind.
[39] **abusar**   to impose.

[40] **expresiones mías**   regards from
    me.
[41] **Caramba con**   that old.
[42] **usted siga bien**   farewell.
[43] **palmaditas**   pats.
[44] **Beso a usted la mano**   *polite for-*
    mula of departure.

tería! Pero ¿qué se figuran [45] esos jóvenes? ¿Quieren echar abajo (*Marcando la frase.*[46]) a "los viejos"? Pues los viejos se defenderán . . . , vaya, vaya . . . Se defenderán . . . ¿Que [47] no tenemos ideales? ¿Que estamos anticuados? ¿Que somos . . . "misoneístas"? [48] ¡Je, je, je! ¡Misoneístas! Pero, ¡qué horrores! [49] (*Pausa. Se sienta a la mesa y revuelve papeles.*) ¡Ea! Hoy no pasa sin que principie [50] mis "Cuentos del campo" . . . ¿Cuentos? ¿Qué tal será el de ese muchacho? [51] ¿Tendrá, "efectivamente",[52] talento el mozo? (*Coge el manuscrito y lee. Después, en tono semiasombrado.*[53]) ¡Pues es cierto! ¡Y está muy bien escrito! ¡Soberbio! [54] Calor, energía, frescura de estilo . . . ¡Ah, mis veinte años . . . , mis fuerzas de entonces! Y ahora me llaman "decadente" . . . Dicen que no hay en mis obras ni un solo destello [55] de aquel genio . . . ¡Ah!

UN CRIADO. Señor, el chico de la imprenta que viene por original . . .[56]

EL MAESTRO. (*Sorprendido.*) Es verdad . . . ¡Y no tengo nada! (*Revolviendo papeles.*) Calla . . . Mira: toma esto, y que principien a componer . . . (*Coge el manuscrito de "Triunfo de amor", le arranca*[57] *la portada*[58] *y se lo entrega al criado.*) ¡Juventud, juventud!

EXERCISES *El maestro*

I. *Cuestionario.*

1. ¿Dónde tiene lugar este *sketch*?
2. ¿Qué diferencias hay entre los dos hombres?
3. ¿Qué impresión formamos del Maestro en la primera parte?
4. ¿Por quién ha sido recomendado el Joven?

[45] **figurarse** to imagine.
[46] **Marcando la frase** emphasizing the phrase.
[47] **Que** *Omit, or supply* people say that.
[48] **misoneísta** misoneist, *one who hates anything new or changed.*
[49] **¡qué horrores!** horrors!
[50] **principie** *subject is yo.*
[51] **¿Qué . . . muchacho?** I wonder how that young man's (*story*) is?
[52] **efectivamente** really.
[53] **semiasombrado** astonished.
[54] **¡Soberbio!** magnificent, superb.
[55] **destello** flash.
[56] **original** (*printer's*) copy.
[57] **arrancar** to tear off.
[58] **portada** title page.

5. ¿Qué opinión tiene el Maestro de la crítica?
6. ¿Por qué celebra el Maestro que el Joven sea escritor de cuentos?
7. ¿Por qué no puede éste explicar la acción de su novelita?
8. ¿Qué opinión tiene el Maestro de la "gente nueva"?
9. ¿Cuáles son sus ideas sobre la gente nueva en la Parte II?
10. ¿Ha encontrado el viejo Maestro la "fuente de la juventud"?

II. *Identify the following adjectives, and give the adverbial form ending in* mente.

preciso	fraternal
misterioso	sencillo
modesto	lento
ligero	cándido
curioso	atento

III. *Idiom and grammar review.*

A. *Give the meaning of the italicized idioms in the following sentences.*

1. *Hace* ahora mucho *frío.*
2. Supongo que usted no *tendrá inconveniente en* . . .
3. El Joven ríe para que el Maestro no *tome a mal* su seriedad.
4. Se frota las manos *a menudo.*
5. *¿Qué tal tiempo hace* por Gerona?
6. La generación nueva *está por* el teatro.
7. Le diré a usted lo que me parezca *sin rodeos.*
8. Vaya, no *tenga usted reparo* en consultármela.
9. El porvenir *es de* la gente nueva.
10. Entra y mira *a su alrededor.*

B. *Give all forms of the imperative, familiar and formal, of the following:*

callar, negar, decir, quitar, creer.

Recall that the familiar (tú) *affirmative is the same as the third person singular indicative for regular verbs, and second person subjunctive for the negative.*°

° It should be noted that although the affirmative plural familiar is formed by dropping the *r* of the infinitive and adding *d* for all verbs, common modern usage employs the infinitive for this form.

C. *The future tense to express probability is used frequently in the text. For example:*

¿Tendrá talento el mozo? I wonder if that young man has talent, *or,* Can he have talent?

Translate the following:

1. He is a great writer. You are probably right.
2. You must have written many stories.
3. I wonder what his sister is like? (¿Qué tal . . . ?)
4. María habrá sido una lindísima niña.
5. Juan no ha venido hoy; estará enfermo.

D. *Explain the difference in meaning between these two questions from the text:*

¿Tendrá usted escrito ya su drama?
¿Y habrá usted escrito ya algo?

IV. *Translate the following sentences into Spanish.*

1. You are probably a writer of short stories. Do not deny it.
2. He looks at him again curiously.
3. What's the weather like in your city?
4. I will tell you what I think without beating around the bush.
5. The future belongs to the young.
6. You must not forget to let me read your story.
7. Tell him that his manuscript is not well written.
8. If he is young, he must be in favor of new ideas.

La casa cerrada

El carruaje [1] ha comenzado a ascender, despacio, por un empinado alcor.[2] Cuando se hallaba en lo alto, ha preguntado uno de los viajeros que ocupaban el vehículo:

—¿Estamos ya en lo alto del puerto? [3]

—Ya hemos llegado—ha contestado el otro—; ahora vamos a comenzar a descender.

---

[1] **carruaje**   carriage.
[2] **empinado alcor**   high hill.

[3] **puerto**   mountain pass.

—Ya desde aquí se divisará⁴ toda la vega;⁵ allá, en la lejanía, brillarán las tejas⁶ doradas de la cúpula de la catedral. El campo estará todo verde; reflejará el sol en el agua de alguna de las acequias⁷ de los huertos.⁸ ¿No es verdad? Ésta es la época en que a mí me gusta más el campo. ¡Cuántas veces desde esta altura he contemplado yo el panorama de la vega y de la ciudad lejana! Dime, ¿se ve a la derecha, allá junto a un camino—un camino que serpentea, el camino viejo de Novales—una casa blanca que apenas asoma entre los árboles?

—Sí; ahora parece que refulge⁹ al sol un cristal de una ventanilla que está en lo alto.

El carruaje ha descendido al llano y camina entre frescos herreñales¹⁰ y huertas de hortalizas;¹¹ anchos frutales¹² muestran los redondos y gualdos membrillos,¹³ las doradas pomas,¹⁴ las peras aguanosas,¹⁵ suaves.

—Siento que estamos ya en plena vega—ha dicho uno de los viajeros—; aspiro¹⁶ el olor del heno,¹⁷ de la alfalfa cortada y de los frutales. ¿Habrá muchos manzanos como antes? Ahí en las huertas hay viejecitos encorvados y tostados por el sol, como momificados,¹⁸ como curtidos¹⁹ por el tiempo, que están inclinados sobre la tierra, cavando,²⁰ arreglando los partidores²¹ de las acequias, quitando las hierbas viciosas, ¿verdad? Ya oigo las campanas de la ciudad; esa que ahora ha tocado es la de la catedral; antes tocaba la campanita del convento de las Bernardas. ¿Se ven edificios nuevos en las afueras del pueblo?

—Hay algunos edificios nuevos, pero pocos; a la izquierda, cerca de la ermita²² de la Virgen del Henar, han levantado una fábrica con una chimenea.

---

⁴ **divisar**   to descry; to discern. *From his question and the use of the future tense of conjecture in this paragraph, what do we learn of the speaker?*

⁵ **vega**   plain.

⁶ **tejas**   roofing tiles.

⁷ **acequias**   irrigation ditches.

⁸ **huertos**   orchards.

⁹ **refulgir**   to shine.

¹⁰ **herreñales**   fields of grain.

¹¹ **huertas de hortalizas**   vegetable gardens.

¹² **frutales**   fruit trees.

¹³ **gualdos membrillos**   yellow quince.

¹⁴ **pomas**   apples.

¹⁵ **aguanosas**   juicy.

¹⁶ **aspirar**   to inhale, to breathe.

¹⁷ **heno**   hay.

¹⁸ **momificados**   mummified.

¹⁹ **curtidos**   hardened, toughened.

²⁰ **cavar**   to dig.

²¹ **partidores**   dividers.

²² **ermita**   hermitage.

—¿Una fábrica? ¿Manchará [23] con su humo el cielo azul? ¿No es verdad que ese azul está tan limpio, tan radiante, tan traslúcido como siempre?

Comienza a penetrar el carruaje por las callejas del pueblo.

—Ya estamos en la ciudad; ya oigo los gritos de los chicos. Aquí, por donde ahora vamos, había muchos talabarteros y guarnicioneros.[24] Deben de seguir aún; [25] viene olor de cueros.

—Sí; están trabajando en sus talleres; [26] pero ahora hay menos que antes; lo traen todo hecho de fuera, de las fábricas.

—¿Pasamos por la plaza ahora? ¡Cómo me hartaría [27] yo de ver esta plaza ancha, con sus soportales [28] de columnas de piedra! Allí, en un rincón, estaba el comercio [29] de la "Dalia Azul" . . .

—Allí está todavía; han abierto algunas tiendas nuevas. En el centro de la plaza han hecho un jardincillo.

—Un jardincillo que tendrá algunas acacias amarillentas y unos faroles con los cristales polvorientos [30] y rotos . . .

—¿Hace mucho tiempo que no han limpiado la casa?

—Todos los años la limpian dos o tres veces, pero no tocan nada; yo lo tengo bien encargado.[31] Todo está lo mismo que hace quince años.

—Siempre que recibo este olor de moho [32] y humedad, me acuerdo de las pequeñas iglesias del Norte, con su piso de madera encerada.[33] Las veo en aquellos paisajes tan verdes, tan suaves, tan sedantes.[34]

—Aquí, en el comedor, están hasta las bandejas [35] colocadas por orden sobre el aparador; [36] cualquiera diría que anoche se ha estado comiendo en esta mesa.

—Por esas ventanas de la galería [37] contemplaba yo, cuando era muchacho, el panorama de la vega; ese panorama que tanto ha

---

[23] **manchar** to spot; to stain.
[24] **talabarteros y guarnicioneros** saddlers and harness makers.
[25] **Deben de seguir aún** They must still be here.
[26] **talleres** workshops.
[27] **hartar** to gratify.
[28] **soportales** arcades.
[29] **comercio** store, shop.
[30] **polvorientos** dusty.

[31] **yo lo tengo bien encargado** I have seen to that.
[32] **moho** mold.
[33] **encerada** waxed.
[34] **sedantes** quiet, calm.
[35] **bandejas** trays.
[36] **aparador** buffet.
[37] **galería** glass-enclosed corridor *or* room.

influido sobre mi espíritu. Entremos en el despacho; déjame que abra yo.

Los dos visitantes entran en una vasta pieza [38] con estantes de libros; en una de las paredes hay colgado [39] un retrato que representa un caballero; en el muro de enfrente se ve otro retrato: el de una dama. La dama tiene los ojos negros y unos ricitos [40] sobre la frente. 5

—¿Se han estropeado [41] los retratos? ¿Cómo están?

—Están bien; no les ha atacado la humedad; esta sala está bien acondicionada.[42] 10

—Descuélgalos, para que yo los toque.

Los cuadros son descolgados y el caballero que deseaba posar sus manos sobre ellos va palpándolos dulcemente.

—Conozco a los dos, los diferencio por sus marcos . . .[43] ¿Estarán todos los libros en la biblioteca? Estos volúmenes grandes que 15 toco ahora deben de ser unos libros de viajes que yo leía siendo niño. Aún parece que veo unos grabados [44] que había en ellos y que yo miraba ávidamente; una pagoda india, la Alhambra,[45] Constantinopla, las cataratas del Niágara . . .

El caballero abre un cajón y revuelve unos papeles que hay en él. 20

—¿Esto será un paquetito de cartas? Aquí debe de haber también un retrato mío a los ocho años.

—Sí; éste es; está casi descolorido.

—También la tinta de estas cartas se habrá tornado ya amarilla. Léeme ésta. ¿Cómo principia? 25

"Querido Juan: no sabes cuántas ganas tenemos de verte; estás tan lejos que . . ."

—No leas más. Pon todas las cartas aquí, como estaban antes . . . Yo no trabajé nunca en este despacho. Mi cuarto estaba en lo alto, en un apartijo [46] que yo me hice en el sobrado.[47] Quería 30 tener siempre ante mí el panorama de la ciudad y la lontananza de la vega. Vamos arriba.

---

[38] **pieza** room.
[39] **colgado** (**colgar**) hanging.
[40] **ricitos** *diminutive of rizo* curls.
[41] **estropear** to spoil; to go to ruin.
[42] **acondicionada** protected against dampness.
[43] **marcos** frames.

[44] **grabados** prints, pictures.
[45] **la Alhambra** *The beautiful former palace of Moorish kings in Granada.*
[46] **apartijo** little side room.
[47] **sobrado** attic.

—Aquí, junto a la ventana, que yo tenía casi siempre abierta, está la mesa en que tanto he trabajado. ¡Cómo contemplaba yo, en los momentos de descanso, con la cara puesta en la mano, los huertos de la vega! Con unos gemelos [48] iba viendo los granados,[49] con sus florecitas rojas; los laureles—siempre verdes, nobles—; los almendros,[50] tan sensitivos; los cipreses, inmortales. Y en lo alto, el cielo azul, como de brillante porcelana, que ya tampoco puedo ver.[51] Las golondrinas [52] pasaban y repasaban rápidas, en vuelos henchidos [53] de voluptuosidad; muchas veces cruzaban rozando [54] la ventana al alcance de [55] mi mano. Allá abajo, en torno de la torre de la catedral, giraban [56] los vencejos . . . Aquí colgada en la pared, frente a la mesa, está una gran fotografía de *Las Meninas*, de Velázquez. ¿Se ha descolorido?

—No; está intacta; se ven en ella los más pequeños detalles . . .

—¿Ves ese señor que está en el fondo, junto a una puertecita de cuarterones,[57] levantando una cortina, con un pie en un escalón y otro pie en otro? Es don José Nieto; muchas veces hemos platicado [58] en estas soledades. Ese hombre lejano—lejano en ese fondo del cuadro . . . y en el tiempo—siempre ha ejercido sobre mí una profunda sugestión. No sé quién es; pero su figura [59] es para mí tan real, tan viva, tan eterna, como la de un héroe o la de un genio . . . ¿Está el cielo hoy despejado? [60]

—Sí; sólo hay unos ligeros celajes [61] en la lejanía.

—La última vez que estuve aquí era un día de otoño. El cielo estaba gris; caía sobre el paisaje una luz dulce y opaca. Se oían las campanas lejanas como si fueran de cristal. Estuve leyendo a fray Luis de León; [62] sobre la mesa dejé el libro. Aquí está todavía; éste es. ¿Ves esta señal [63] que tiene? Léeme un poco, a ver lo que es.

El acompañante del caballero lee:

[48] **gemelos** binoculars.
[49] **granados** pomegranates.
[50] **almendros** almond trees.
[51] **que ya tampoco puedo ver** which I also cannot see now.
[52] **golondrinas** swallows.
[53] **henchidos henchir** to fill.
[54] **rozar** to scrape; to graze.
[55] **al alcance de** within reach of.
[56] **girar** to turn; **giraban los vencejos** the black martins used to fly (*around*).
[57] **de cuarterones** paneled.
[58] **platicar** to chat.
[59] **figura** appearance.
[60] **despejado** clear.
[61] **celajes** clouds.
[62] **fray Luis de León** 1537–1591, *Spanish mystic writer and poet.*
[63] **señal** bookmark.

En el profundo del abismo estaba
Del no ser, encerrado y detenido . . .[64]

—Sí, sí; recuerdo: eso es lo último que leí en esta mesa, en que tanto he trabajado, frente al panorama de la vega, en un día gris y dulce de otoño.

EXERCISES *La casa cerrada*

I. *Cuestionario.*

1. ¿A dónde van los dos viajeros?
2. ¿Qué se ve desde lo alto del puerto?
3. ¿Por qué conoce tan bien este paisaje uno de los viajeros?
4. ¿Llegan en invierno?
5. ¿Es duro el trabajo en las huertas?
6. ¿Cómo ha cambiado el pueblo?
7. ¿Cómo está la casa después de quince años?
8. ¿Dónde están los retratos? ¿Quiénes serán el caballero y la dama?
9. ¿Qué hay en el cajón?
10. ¿Cómo pasaba nuestro caballero sus momentos de descanso?
11. ¿Qué hizo la última vez que estuvo en su despacho?
12. ¿Cuál es el tema de este ensayo?
13. ¿Qué características del estilo de Azorín se destacan en este cuento?

II. *Substitute an appropriate equivalent in Spanish for the italicized words.*

1. Eso es *lo último* que leí en esta mesa.
2. Aquí *debe de haber* también un retrato mío.
3. . . . los libros que yo leía *siendo niño*.
4. Con unos gemelos *iba viendo* los granados, con sus *pequeñas flores* rojas.
5. ¿Estamos ya *en la cima* [top] del puerto?
6. *Han levantado* una fábrica con una chimenea.
7. ¡Cómo *me hartaría* yo de ver esta plaza ancha!

[64] In the depths of the abyss of non-being
I was held and confined . . .

8. En el centro de la plaza han hecho un *jardincillo*.
9. Allá, *en la distancia,* brillará la cúpula de la iglesia.
10. El carruaje *ha comenzado* a ascender.

III. *Supply the appropriate form of the infinitive (in parentheses) in the following sentences.*

1. (*abrir*) Entremos en el despacho; déjame que _____ yo.
2. (*colgar*) En una de las paredes hay _____ un retrato.
3. (*conocer, estar*) Yo _____ a los dos retratos. ¿_____ todos los libros en la biblioteca?
4. (*revolver*) El caballero abre un cajón y _____ unos papeles que hay en él.
5. (*leer, poner*) Léeme esta carta. No _____ más. _____ todas las cartas aquí, como estaban antes.
6. (*trabajar*) Aquí está la mesa en que tanto yo _____.
7. (*estar*) La última vez que _____ aquí era un día de otoño.
8. (*decir*) _____ me, ¿se ve a la derecha una casa blanca?
9. (*haber*) Estamos ya en plena vega. ¿_____ muchos manzanos como antes?
10. (*abrir*) Han _____ algunas tiendas nuevas.

IV. *Translate the following sentences into Spanish.*

1. The whole countryside can be seen from this little window.
2. Do you see that white house on the right?
3. I wonder if there are [can there be] some new buildings in the village.
4. The sky is as blue as always, isn't it?
5. They have been cleaning the house for fifteen years.
6. The lady in the portrait has black eyes.
7. He found an old letter of his in the box.
8. Azorín likes to give us many details of what he is describing.

Ramón Gómez de la Serna
1891 ▪ 1962

Prolific vanguard novelist, dramatist, biographer, and critic, Ramón Gómez de la Serna is most famous for the hundreds, if not thousands, of *greguerías* which he began to compose in Madrid in 1910. Quite characteristically—his eccentricities, such as delivering lectures from a trapeze or, as he did in Paris, mounted on the back of an enormous elephant, were legion—he tells us that to baptize the new genre, he pulled a word "out of the hat"; it was *greguería* (literally, din, hubbub) in the singular, which he "planted and got a whole garden of *greguerías*. I kept the word because of its euphony and the secrets that it contains in its sex."

Definitions, including those of the author, seem to be about as numerous as the *greguerías* themselves. With their predilection for metaphor, perhaps it is not an exaggeration to call them miniature poems in prose. As you will see, they are short, concise statements —he refused to call them maxims—humorous, witty, skeptical, and ironic observations provoked by any insignificant detail ("las cosas pequeñas tienen valor de cosas grandes"). Startling images, in addition to the metaphors, hyperbole, and ingenious plays on word and idiom, are favorite devices in his distortion of objective reality. In a simple but telling formula, Ramón Gómez de la Serna, who died in Buenos Aires in 1962, once defined his product as *humorismo + metáfora = greguería*.

Greguerías

El 4 tiene la nariz griega.

Los cementerios están llenos de panteones [1] de los "que se rieron los últimos".

Era tan mal guitarrista, que se le [2] fue la guitarra con otro.

Persia es el único país que tiene el paisaje alfombrado.[3]

Lo que vale más es soltar [4] el pájaro que se tenga en la mano.

O se cura uno al salir del portal [5] del doctor, o habrá que volver muchas veces.

Cuando la mujer se da [6] *rouge* frente a su espejito,[7] parece que aprende a decir la O.

Lo malo de la Luna es que allí sólo hay bares lácteos.[8]

El ciego mueve su blanco bastón como si tomase la temperatura a [9] la indiferencia humana.

Los rumores son grandes equilibristas,[10] pues se suben unos sobre otros y nunca se caen.

Los viudos son mutilados [11] de guerra.

Lo que obsesiona a la mujer moderna es lograr [12] que su pulsera [13] llegue a ser su cinturón.[14]

El que se tira del piso diecisiete ya no es un suicida, sino un aviador.

Lo más grave es que el burro tiene dentadura [15] de hombre.

La mujer se limpia con un pañolito [16] muy chico los grandes dolores, y los grandes catarros.[17]

Al atardecer,[18] pasa con vuelo rápido una paloma que lleva la llave con que cerrar el día.

---

[1] **panteón**   pantheon; *here,* tombstone.

[2] **le**   (from him). *Do not translate.*

[3] **alfombrar**   to carpet.

[4] **soltar**   to turn loose; to set free.

[5] **portal**   *here,* office.

[6] **darse**   *here,* to put on.

[7] **espejito**   *diminutive of espejo* mirror.

[8] **bares lácteos**   milk bars.

[9] **a**   of.

[10] **equilibrista**   acrobat.

[11] **mutilado**   casualty.

[12] **lograr**   to attain; to succeed.

[13] **pulsera**   bracelet.

[14] **cinturón**   waist.

[15] **dentadura**   set of teeth.

[16] **pañolito**   handkerchief.

[17] **catarro**   cold (head cold).

[18] **al atardecer**   late afternoon; towards evening.

Monólogo quiere decir el mono [19] que habla solo.

El que grita en la conferencia: [20] "¡Más fuerte,[21] que no se oye!", no se sabe si es un admirador, un saboteador o un sordo.[22]

Las violetas son actrices retiradas en el otoño de su vida.

La Medicina ofrece curar dentro de cien años a los que se están muriendo ahora mismo.

Cuando se llega al verdadero escepticismo [23] es cuando, por fin, se sabe que escepticismo no se escribe con X.

Después del eclipse, la luna se queda lavándose la cara para quitarse el tizne.[24]

El que se despierta de la siesta al atardecer, nota que le han robado el día mientras dormía.

El crespón [25] es la telaraña [26] de las viudas para pescar un nuevo marido.

El que en las estaciones se sienta en su maleta, parece un expulsado [27] del mundo.

El agua no tiene memoria: por eso es tan limpia.

Cada tumba tiene su reloj despertador [28] puesto en la hora del Juicio final.

En la guía de teléfonos todos somos seres [29] casi microscópicos.

Comidas las uvas,[30] quedan en el plato las venas del racimo.[31]

Después de usar el dentífrico,[32] nos miramos los dientes con gesto de fieras.[33]

El león daría la mitad de su vida por un peine.[34]

Si os tiembla la cerilla [35] al dar lumbre [36] a una mujer, estáis perdidos.

El coleccionista de sellos se cartea [37] con el pasado.

[19] **mono** monkey. *Note how the author humorously distorts the etymology (* **monos,** *alone, and* **logos,** *word, speech.)*
[20] **conferencia** lecture.
[21] **más fuerte** louder.
[22] **sordo** deaf (*person*).
[23] **escepticismo** skepticism.
[24] **tizne** soot.
[25] **crespón** crepe.
[26] **telaraña** cobweb.

[27] **expulsado** outcast.
[28] **reloj despertador** alarm clock.
[29] **seres** people, human beings.
[30] **uva** grape.
[31] **racimo** bunch; cluster.
[32] **dentífrico** toothpaste.
[33] **fiera** wild beast.
[34] **peine** comb.
[35] **cerilla** (little wax) match.
[36] **lumbre** light.
[37] **cartearse** to correspond.

El cantar rabioso del gallo [38] quiere decir, traducido: "¡Maldito sea el cuchillo!"

Las sombras que ponen las nubes en el panorama son como esponjas [39] grises que absorben el pensamiento del paisaje.

Si hubiese habido fotógrafo en el Paraíso, habría sido bochornoso [40] el retrato de bodas de Adán y Eva.

Los hombres de gran barriga [41] parece que se pasean con el salvavidas [42] puesto.

El grito más agudo de la noche es el del gato que se queja de una indigestión de ratones.

El gran constructor hubiera sido un feliz millonario si no se le hubiese presentado cemento en el hígado.[43]

Si el caracol [44] sube esa tapia [45] es porque espera encontrar un huerto, no un cementerio.

La mujer es tan lista, que en seguida conoce si los guisantes [46] son naturales o de lata.[47]

Los pingüinos [48] son unos niños que se han escapado de la mesa con el babero [49] puesto y manchado de huevo.

Los cocodrilos de circo son falsos, porque nunca les hemos oído llorar.

La sidra [50] quisiera ser champaña, pero no puede porque no ha viajado bastante por el extranjero.

Lo peor del viaje de la vida es la llegada a la estación Cloroformo.

Era tan celoso, que temía que las máquinas de pesar [51] que entregan un *ticket* con el peso, le diesen a su mujer billetes [52] de amor.

Entre los carriles [53] de la vía [54] del tren crecen las flores suicidas.

---

[38] **gallo** cock, rooster.
[39] **esponja** sponge.
[40] **bochornoso** embarrassing.
[41] **barriga** belly.
[42] **salvavidas** life preserver.
[43] **hígado** liver.
[44] **caracol** snail.
[45] **tapia** wall.
[46] **guisante** pea.

[47] **lata** can.
[48] **pingüinos** penguins.
[49] **babero** bib.
[50] **sidra** cider.
[51] **máquina de pesar** scales.
[52] **billete** *pun on its meaning of* ticket *and* love note.
[53] **carril** rail.
[54] **vía** track.

Como con los sellos de correo, sucede con los besos: que hay los que pegan [55] y los que no pegan.

Si hay una miga [56] en la cama, el sueño estará lleno de promontorios y peñascos.[57]

Plebiscito es una palabra en diminutivo, porque lo que menos figura en él es el voto de la plebe.[58]

En las máquinas de escribir sonríe la dentadura postiza [59] del alfabeto.

Cuando la mujer pide ensalada de frutas para dos perfecciona [60] el pecado original.

El niño que escribe sacando la punta de la lengua revela que va a ser un goloso.[61]

El que al dar limosna [62] elige la moneda [63] más pequeña se quedará pidiendo limosna a la puerta del Paraíso.

El arco iris es la cinta que se pone la Naturaleza después de haberse lavado la cabeza.

El óvalo es el círculo que adelgazó.[64]

El beso es un paréntesis sin nada dentro.

Los perros nos enseñan la lengua como si nos hubiesen tomado por el doctor.

El orador [65] es un instrumento de viento que toca solo.

Los cigarros son los dedos del tiempo que se convierten en ceniza.[66]

Las pasas [67] parecen uvas octogenarias.

La almohada [68] siempre es convaleciente.

La mosca se posa sobre lo escrito, lo lee y se va, como despreciando lo que ha leído. ¡Es el peor crítico literario!

---

[55] **pegar**   to stick.
[56] **miga**   crumb.
[57] **peñasco**   large rock.
[58] **plebe**   common people.
[59] **postizo**   false.
[60] **perfeccionar**   to improve; to perfect.
[61] **goloso**   glutton.

[62] **limosna**   alms.
[63] **elegir la moneda**   to select the coin.
[64] **adelgazar**   to become thin.
[65] **orador**   orator.
[66] **ceniza**   ashes.
[67] **pasa**   raisin.
[68] **almohada**   pillow.

Las lágrimas que se vierten [69] en las despedidas [70] de barco son más saladas [71] que las otras.

EXERCISES   *Greguerías*

I.   *Translate the words in parentheses into Spanish.*

1. Persia es el (*only*) país que tiene el paisaje alfombrado.
2. (*The bad thing*) de la Luna es que allí (*only*) hay bares lácteos.
3. (*He who*) se tira del piso diecisiete ya no es un suicida, (*but*) un aviador.
4. La medicina ofrece curarnos dentro de (*one hundred*) años.
5. (*After the*) eclipse, la luna se lava la cara.
6. (*Water*) no tiene memoria: (*that is why*) es tan limpia.
7. El grito más agudo de la noche es (*the cat's*).
8. (*The worst thing*) del viaje es la despedida.
9. Los mejores besos son (*those which*) pegan.
10. Con la palabra plebiscito, (*what*) menos figura en (*it*) es el voto de la plebe.
11. El beso es un paréntesis sin (*anything*) dentro.
12. Es el (*best*) crítico literario.

II.   *Translate the verbs in parentheses into Spanish.*

1. Si no se cura uno la primera vez, (*it will be necessary*) volver muchas veces.
2. El ciego mueve su bastón como si nos (*were taking*) la temperatura.
3. La mujer moderna espera que su pulsera (*will become*) su cinturón.
4. Monólogo (*means*) el mono que habla solo.
5. (*He wakes up*) muy tarde de la siesta.
6. (*He is sitting*) en su maleta.
7. Después de (*using*) el dentífrico, nos miramos los dientes.
8. El león (*would give*) la mitad de su vida por un peine.
9. El cantar del gallo quiere decir: ¡Maldito (*be*) el cuchillo!

---

[69] **verter**   to shed.
[70] **despedida**   farewell.
[71] **salado**   salty.

10. Si *(there had been)* fotógrafo en el Paraíso, *(would have been)* bochornoso el retrato de bodas de Adán y Eva.
11. La sidra *(would like)* ser champaña.
12. Temía que las máquinas de pesar *(would give)* a su mujer billetes de amor.

III. *Translate the following sentences into Spanish.*

1. His nose is not large but small.
2. The curious [*curioso*] thing is that he is not jealous.
3. She is the only girl I have never heard cry.
4. He talks to me as if I were his son.
5. If you buy stamps, give me some.
6. Those who lick [*lamer*] their fingers are crazy.
7. The most beautiful picture in the world is my mother's.
8. I do not like what he says about women.
9. If I had been there, I would have given my life for her.
10. Upon waking up, he sees that his room is full of flies.

Juan Ramón Jiménez
1881 ▪ 1958

One of the great Spanish poets of this century is the internationally renowned Juan Ramón Jiménez, born in the little town of Moguer, in the province of Huelva, in the southwest corner of Spain. By the time he was eighteen, Juan Ramón was well enough known to be invited to Madrid to join Rubén Darío and other poets of the "modernistic" school, and his early works bear some trace of its influence. Despite his delicate health, he continued to write extensively. At the outbreak of the Civil War (1936), he and his wife left Spain and lived successively in Puerto Rico, Cuba, and the United States. They returned to Puerto Rico, where in 1956 Juan Ramón received news that he had been awarded the Nobel Prize for Literature. Sadly, however, his loving wife died three days later, and the grief stricken poet survived her by less than two years.

Juan Ramón's poetry in its first phase is delicate, refined, musical, and often sensuously impressionistic. Later, his style becomes more personal and intimate, as he devotes himself to the search for absolute beauty and poetry. He strives constantly to purify his poems seeking the very essence of the verse.

It is not an exaggeration to say that a large part of Juan Ramón's reputation is based on one of the most widely read books of this century, *Platero y yo* (1914). Like *Alice in Wonderland,* it has been read by old and young at home and abroad. It consists of a series of lyrical impressions in prose, in which the poet speaks to his small donkey (Platero), confiding in him his innermost thoughts and feelings.

The tender description of the life of Moguer, the poet's birthplace which serves as the setting, is, as he called it, an Andalusian elegy. Juan Ramón's very personal vision imparts at the same time a universality through the repeated discovery of the poetry which exists in the most common things and the sense of mystery which lies just beyond.

Although written in prose, *Platero y yo* is a book of the purest poetry. The short, individual chapters have a unity of their own; indeed, Juan Ramón has given each a separate title. We have selected seven of these (I, II, XII, XLIII, LXXIX, CXXXII, CXXXV), and have included also two representative poems.

Platero y yo

I. Platero

Platero es pequeño, peludo,[1] suave; tan blando por fuera, que se diría todo de algodón,[2] que no lleva huesos. Sólo los espejos de azabache[3] de sus ojos son duros cual dos escarabajos[4] de cristal negro.

Lo dejo suelto[5] y se va al prado, y acaricia tibiamente[6] con su 5
hocico,[7] rozándolas apenas,[8] las florecillas rosas, celestes y gualdas[9] . . . Lo llamo dulcemente: "¿Platero?", y viene a mí con un tro- tecillo alegre que parece que se ríe, en no sé qué cascabeleo ideal . . .[10]

Come cuanto le doy. Le gustan las naranjas mandarinas, las uvas 10
moscateles,[11] todas de ámbar; los higos morados,[12] con su cristalina gotita de miel . . .[13]

Es tierno y mimoso[14] igual que un niño, que una niña . . . ; pero fuerte y seco por dentro, como de piedra. Cuando paseo sobre él, los domingos, por las últimas callejas del pueblo, los hombres 15
del campo, vestidos de limpio y despaciosos, se quedan mirán- dolo:

—Tien' asero[15] . . .

Tiene acero. Acero y plata de luna,[16] al mismo tiempo.

II. Mariposas[17] blancas

La noche cae, brumosa[18] ya y morada. Vagas claridades mal- 20
vas[19] y verdes perduran tras la torre de la iglesia. El camino sube,

[1] **peludo**   furry.
[2] **algodón**   cotton.
[3] **espejos de azabache**   jet mirrors.
[4] **escarabajos**   beetles.
[5] **suelto**   untied.
[6] **tibiamente**   gently.
[7] **hocico**   snout, nose.
[8] **rozándolas apenas**   scarcely touch- ing them (*the little flowers*).
[9] **gualdas**   yellow.
[10] **en no sé qué cascabeleo ideal** with an inexplicable jingling. *Cascabeleo refers to the jingling of the bells worn by mules and donkeys. It is used figuratively*
here to suggest the joyous eager- ness with which Platero answers his master's call.
[11] **moscateles**   muscatel (*grape or wine*).
[12] **higos morados**   dark purple figs.
[13] **gotita de miel**   point of honey.
[14] **mimoso**   pampered; loving.
[15] **Tien' asero**   He is strong as steel. *Jiménez imitates the Andalusian pronunciation.*
[16] **plata de luna**   quick-silver.
[17] **mariposa**   butterfly.
[18] **brumosa**   foggy.
[19] **malvas**   mauve, bluish-red.

lleno de sombras, de campanillas,[20] de fragancia, de yerba, de canciones, de cansancio y de anhelo.[21] De pronto, un hombre oscuro, con una gorra y un pincho,[22] roja un instante la cara fea por la luz del cigarro, baja a nosotros de una casucha [23] miserable, perdida entre sacas de carbón. Platero se amedrenta.[24]

—¿Ba argo? [25]

—Vea usted . . . Mariposas blancas . . .

El hombre quiere clavar su pincho de hierro en el seroncillo,[26] y no lo evito. Abro la alforja [27] y él no ve nada. Y el alimento ideal [28] pasa, libre y cándido, sin pagar su tributo a los Consumos . . .[29]

III. La púa [30]

Entrando en la dehesa de los caballos,[31] Platero ha comenzado a cojear.[32] Me he echado al suelo . . .

—Pero, hombre,[33] ¿qué te pasa?

Platero ha dejado la mano [34] derecha un poco levantada, mostrando la ranilla,[35] sin fuerza y sin peso, sin tocar casi con el casco [36] la arena ardiente del camino.

Con una solicitud mayor, sin duda, que la del viejo Darbón, su médico, le he doblado la mano y le he mirado la ranilla roja. Una púa larga y verde, de naranjo sano,[37] está clavada en ella como un redondo puñalillo [38] de esmeralda. Estremecido del dolor de Platero, he tirado de la púa; y me lo [39] he llevado al pobre al arroyo

---

[20] **campanillas** bellflowers.

[21] **anhelo** yearning, longing.

[22] **gorra y un pincho** cap, and a pointed stick.

[23] **casucha** shack.

[24] **amedentrarse** to become frightened.

[25] **¿Ba argo?** i.e., ¿Va algo? What do you have there?

[26] **seroncillo** small basket.

[27] **alforja** saddlebag.

[28] **alimento ideal** nonexistent food.

[29] **tributo a los Consumos** tax to the tax collectors.

[30] **púa** thorn.

[31] **dehesa de los caballos** pasture.

[32] **cojear** to limp.

[33] **hombre** *the word is commonly used in expressions of surprise in addressing persons, regardless of age or sex. Platero's master addresses him as he would a child, with affectionate concern and sincere sympathy.*

[34] **mano** *i.e.*, the forefoot.

[35] **ranilla** sole.

[36] **casco** hoof.

[37] **de naranjo sano** from a healthy orange tree.

[38] **puñalillo** dagger.

[39] **me lo** *both pronouns are redundant for the meaning. Me is the indirect object referring to the person concerned.*

de los lirios [40] amarillos, para que el agua corriente le lama,[41] con su larga lengua pura, la heridilla.

Después, hemos seguido hacia la mar blanca, yo delante, él detrás, cojeando todavía y dándome suaves topadas [42] en la espalda . . .

5

IV. La tísica [43]

Estaba derecha en una triste silla, blanca la cara y mate,[44] cual un nardo ajado, en medio de la encalada [45] y fría alcoba. Le había mandado el médico salir al campo, a que le diera el sol [46] de aquel mayo helado; pero la pobre no podía.

—Cuando yego [47] ar puente—me dijo—, ¡ya v'usté, zeñorito, ahí ar lado que ejtá!, m'ahogo . . .

10

La voz pueril, delgada y rota, se le caía, cansada, como se cae, a veces, la brisa en el estío.

Yo le ofrecí a Platero para que diese un paseíto. Subida en él, ¡qué risa la de su aguda cara de muerta, toda ojos negros y dientes blancos!

15

. . . Se asomaban las mujeres a las puertas a vernos pasar. Iba Platero despacio, como sabiendo que llevaba encima un frágil lirio de cristal fino.[48] La niña, con su hábito cándido [49] de la Virgen de Montemayor, lazado de grana,[50] transfigurada por la fiebre y la esperanza, parecía un ángel que cruzaba el pueblo, camino del [51] cielo del Sur.

20

V. Alegría

Platero juega con Diana, la bella perra blanca que se parece a la luna creciente, con la vieja cabra [52] gris, con los niños . . .

---

[40] **lirios**   iris; lily
[41] **lamer**   to lick.
[42] **dándome suaves topadas**   nudging me gently.
[43] **tísica**   the consumptive girl.
[44] **mate, cual un nardo ajado**   lusterless, like a withered spikenard (*small white flower*).
[45] **encalada**   whitewashed.
[46] **a que le diera el sol**   to get the sun.

[47] **Cuando yego,** etc.   "Cuando llego al puente, ¡ya ve usted, señorito, ahí al lado que está!, me ahogo (I choke)".
[48] **frágil lirio de cristal fino**   fragile glass lily.
[49] **hábito cándido**   white dress.
[50] **lazado de grana**   with a red bow.
[51] **camino del**   on her way to.
[52] **cabra**   goat.

77

Salta Diana, ágil y elegante, delante del burro, sonando su leve campanilla, y hace como que le muerde los hocicos.[53] Y Platero, poniendo las orejas en punta, cual dos cuernos de pita,[54] la embiste [55] blandamente y la hace rodar sobre la yerba en flor.

La cabra va al lado de Platero, rozándose a sus patas, tirando con los dientes de la punta de las espadañas de la carga.[56] Con una clavellina o con una margarita [57] en la boca, se pone frente a él, le topa en el testuz,[58] y brinca luego, y bala [59] alegremente, mimosa, igual que una mujer . . .

Entre los niños, Platero es de [60] juguete. ¡Con qué paciencia sufre sus locuras! ¡Cómo va despacito, deteniéndose, haciéndose el tonto, para que ellos no se caigan! ¡Cómo los asusta, iniciando, de pronto, un trote falso! [61]

¡Claras tardes del otoño moguereño! [62] Cuando el aire puro de octubre afila los límpidos sonidos, sube del valle un alborozo [63] idílico de balidos, rebuznos, de risas de niños, de ladreos y de campanillas . . .

VI. La muerte

Encontré a Platero echado en su cama de paja, blandos los ojos y tristes. Fui a él, lo acaricié hablándole, y quise que se levantara . . .

El pobre se removió todo bruscamente, y dejó una mano arrodillada [64] . . . No podía . . . Entonces le tendí su mano en el suelo, lo acaricié de nuevo con ternura, y mandé venir a su médico.

El viejo Darbón, así que lo hubo visto, sumió [65] la enorme boca desdentada hasta la nuca [66] y meció sobre el pecho la cabeza congestionada, igual que un péndulo.

[53] **hace como que le muerde los hocicos** pretends to bite his nose.
[54] **cuernos de pita** cactus horns.
[55] **la embiste** charges at her.
[56] **tirando . . . carga** pulling with her teeth at the tips of the reeds he is carrying.
[57] **clavellina . . . margarita** pink flower . . . daisy.
[58] **le topa en el testuz** butts him in the head.
[59] **balar** to bleat.
[60] **es de** is like.
[61] **iniciando . . . un trote falso** pretending to break into a trot.
[62] **moguereño** in Moguer, *the author's native town.*
[63] **un alborozo . . . rebuznos** an idyllic joy of baas and brays.
[64] **dejó una mano arrodillada** got one leg kneeling.
[65] **sumir** to draw in (*lit.*, to sink).
[66] **nuca** nape of the neck.

—Nada bueno, ¿eh?

No sé qué contestó . . . Que el infeliz se iba . . . Nada [67] . . . Que un dolor . . . Que no sé que raíz mala . . .[68] La tierra, entre la yerba . . .

A mediodía, Platero estaba muerto. La barriguilla de algodón [69] 5 se la había hinchado como el mundo, y sus patas, rígidas y descoloridas, se elevaban al cielo. Parecía su pelo rizoso [70] ese pelo de estopa apolillada [71] de las muñecas viejas, que se cae, al pasarle la mano, en una polvorienta tristeza . . .

Por la cuadra [72] en silencio, encendiéndose cada vez que pasaba 10 por el rayo de sol de la ventanilla, revolaba una bella mariposa de tres colores . . .

VII. *Melancolía*

Esta tarde he ido con los niños a visitar la sepultura de Platero, que está en el huerto de la Piña, al pie del pino redondo y paternal. En torno, abril había adornado la tierra húmeda de grandes lirios 15 amarillos.

Cantaban los chamarices [73] allá arriba, en la cúpula verde, toda pintada de cenit azul,[74] y su trino [75] menudo, florido y reidor, se iba en el aire de oro de la tarde tibia, como un claro sueño de amor nuevo. 20

Los niños, así que iban llegando, dejaban de gritar. Quietos y serios, sus ojos brillantes en mis ojos, me llenaban de preguntas ansiosas.

—¡Platero, amigo!—le dije yo a la tierra—: si, como pienso, estás ahora en un prado del cielo y llevas sobre tu lomo peludo [76] a los 25 ángeles adolescentes, ¿me habrás, quizá, olvidado? Platero, dime: ¿te acuerdas aún de mí?

Y, cual contestando a mi pregunta, una leve mariposa blanca, que antes no había visto, revolaba insistentemente, igual que un alma, de lirio en lirio . . . 30

---

[67] **Nada**   nothing could be done.
[68] **raíz mala**   poisonous root.
[69] **barriguilla de algodón**   his little cotton belly.
[70] **rizoso**   curly.
[71] **estopa apolillada**   moth-eaten flax.

[72] **cuadra**   stable.
[73] **chamarices**   titmice.
[74] **cenit azul**   zenith blue.
[75] **su trino . . . reidor**   their slight trills, gay and flowering.
[76] **lomo peludo**   furry back.

EXERCISES *Platero y yo*

I. *Cuestionario*

A. *Platero*

1. ¿Cómo es Platero?
2. ¿Qué hace Platero en el prado?
3. ¿Qué hace cuando su amo lo llama?
4. ¿Qué le gusta comer?
5. ¿Dónde pasea el amo los domingos?

B. *Mariposas blancas*

1. ¿Le parece poética la descripción de la noche?
2. ¿Cómo hace el autor casi vivo el camino?
3. ¿Qué elemento realista se introduce de pronto?
4. ¿Quién es este hombre? ¿Es rico?
5. ¿Qué busca?

C. *La púa*

1. ¿Qué comenzó a hacer Platero entrando en la dehesa?
2. ¿Qué le había pasado?
3. ¿A dónde lo lleva el amo?
4. ¿Le gusta a usted la metáfora del arroyo?
5. ¿Cómo muestra Platero su gratitud?

D. *La tísica*

1. ¿Por qué es "triste" la silla en que está sentada la niña?
2. ¿Por qué no sale al campo?
3. ¿A qué se compara su voz?
4. ¿Cómo es la niña subida en Platero?
5. ¿Sabe Platero que la niña está enferma?
6. ¿Qué parecía la niña con su hábito puro?

E. *Alegría*

1. ¿Con quiénes juega Platero?
2. ¿Qué impresión de Platero nos deja su juego con Diana?
3. ¿Cómo sufre Platero las locuras de los niños?
4. ¿Es realmente alegre el mundo de Platero?

5. Este capítulo es de una estructura admirable. Estudie cada párrafo y comente la estructura.

F. *La muerte*

1. ¿Cómo era Platero en su cama de paja?
2. ¿Con qué descripción exagerada describe el autor la reacción del médico?
3. ¿Qué revela el estilo del cuarto párrafo?
4. ¿Qué elementos realistas se encuentran en la descripción de la muerte de Platero?
5. ¿Qué se ve en la cuadra? ¿Le gusta la imagen?

G. *Melancolía*

1. ¿A dónde ha ido el amo con los niños?
2. ¿Es triste o alegre la canción de los pájaros?
3. ¿Es dulce o amarga la atmósfera que crea el autor?
4. ¿Cuál es la pregunta que hace el amo a la sepultura?
5. ¿Cómo se le contesta?
6. Compare usted el final de este capítulo con el del capítulo anterior.

II. *Translate the following sentences. They are grouped under capital letters which refer, as above, to the individual chapters.*

A.

1. Platero is as soft as cotton.
2. He likes to caress the little flowers in the meadow.
3. When I call him, he comes to me with a happy little trot.
4. They say that he eats oranges, grapes, and figs.
5. He is tender like a child, but all know that he is steel.

B.

1. The poet uses dark colors to describe the foggy night.
2. Behind the church tower there is a road that seems to be alive.
3. I like the picture of the man whose ugly face is seen in the light of the cigar.
4. He comes down to examine [*revisar*] the saddle bags, but he finds nothing.
5. The master doesn't have to pay the tax.

C.

1. Platero suddenly began to limp.
2. He could hardly walk on the burning sand.
3. I pulled out the long, green thorn, and took him to the brook.
4. The running water licked the wound with its long tongue.

D.

1. The poor girl is sitting in the middle of the cold bedroom.
2. The doctor had ordered her to go out to the country.
3. She cannot take the sun because she is sick and tired.
4. She is very happy when she goes for a ride on Platero.
5. Platero seemed to know that he was carrying a fragile flower.

E.

1. Platero's best friends are a dog, a goat, and children.
2. The dog runs in front of Platero, sounding its little bell.
3. Platero goes slowly so that the children will not fall.
4. How he likes to play with them!

F.

1. Platero tried to get up but could not.
2. I sent for the doctor.
3. The doctor's enormous toothless mouth dropped when he saw the poor animal.
4. A beautiful butterfly flitted through the rays of the sun.

G.

1. The children and I visited Platero's grave.
2. There are large, yellow irises that adorn the damp earth.
3. Birds are singing in the warm afternoon.
4. The children stopped shouting on arriving.
5. I wonder if Platero has forgotten his master.

Two poems

I. Alba

Through exquisite metaphors and stylized colors the poet gives us the sensation of the coming of dawn.

Se paraba
la rueda [1]
de la noche . . .
        Vagos ánjeles [2] malvas [3]
apagaban [4] las verdes estrellas.   5

Una cinta [5] tranquila
de suaves violetas
abrazaba amorosa
a la pálida tierra.

Suspiraban las flores al salir de su ensueño,[6]   10
embriagando el rocío [7] de esencias.

Y en la fresca orilla de helechos [8] rosados,
como dos almas perlas,
descansaban dormidas
nuestras dos inocencias   15
—oh ¡qué abrazo tan blanco y tan puro!—,
de retorno [9] a las tierras eternas.

---

[1] **rueda** wheel.
[2] **ánjeles** (**ángeles**) *Jiménez preferred to spell such words (g before e or i) with a j.*
[3] **malva** bluish-red; mauve.
[4] **apagar** to extinguish.
[5] **cinta** ribbon.
[6] *Note the alliteration in this line.*
[7] **rocío** dew.
[8] **helecho** fern.
[9] **de retorno** on returning.

Juan Ramón Jiménez

II. *Convalecencia* [10]

Note how the emotional experience is communicated in a brilliantly sustained metaphor.

Sólo tú me acompañas, sol amigo.
Como un perro de luz, lames [11] mi lecho blanco;
y yo pierdo mi mano por tu pelo de oro,
caída de cansancio.

¡Qué de cosas que fueron [12]
se van . . . más lejos todavía!
Callo
y sonrío, igual que [13] un niño,
dejándome lamer de ti, sol manso.

. . . De pronto, sol, te yergues,[14]
fiel guardián de mi fracaso,[15]
y en una algarabía [16] ardiente y loca,
ladras [17] a los fantasmas vanos [18]
que, mudas sombras, me amenazan
desde el desierto del ocaso.[19]

[10] **convalecencia** *The poem is based on the poet's own convalescence. He had spent several months at a sanatorium in Bordeaux, and later at one in Madrid.*
[11] **lamer** to lick.
[12] **qué de cosas que fueron** how many things that were.
[13] **igual que** just like.

[14] **yergues** *Second person, present tense, of* **erguir** to raise; to lift up.
[15] **fracaso** collapse.
[16] **algarabía** din, clamor.
[17] **ladrar** to bark.
[18] **vanos** vain; *here,* fleeting.
[19] **ocaso** west.

Octavio Paz
1914 ▪

One of the most outstanding and respected poets of present day Spanish American literature, and widely hailed in the intellectual circles of Europe, Octavio Paz, like his Argentine contemporaries Borges and Cortázar, is a man of broad literary and philosophical culture.

He was born and educated in Mexico City, where he obtained a doctorate in law from the Universidad Nacional de México. Widely read in American and other foreign literatures, he spent a year (1943) studying in the United States, and he has held diplomatic posts all over the world—France, Japan, Switzerland, India, and other countries. He has also served with the Mexican delegation to the United Nations. Always interested in social problems, Paz established a secondary school for laborers, and was a partisan of the republican cause in the Spanish Civil War (1936–1939).

Octavio Paz's mature poetry reveals a technique that is essentially surrealistic, as he deals with themes like time, being and existence, the nature of poetry, and many others. His poems are deep and serious meditations on man and his destiny. Paz has cultivated the essay (his *El laberinto de la soledad,* 1950, translated into English and other languages, brought him renown in this genre), and the short story, both with great success. In his essays and stories he repeats some of his poetic themes, like solitude and the search within the interior of being. See how the real and the unreal combine in the following stories.

El ramo [1] azul

Desperté, cubierto de sudor. Del piso de ladrillos rojos, recién regado,[2] subía un vapor caliente. Una mariposa de alas grisáceas [3] revoloteaba encandilada [4] alrededor del foco [5] amarillento. Salté de la hamaca [6] y descalzo atravesé el cuarto, cuidando no pisar [7] algún alacrán [8] salido de su escondrijo a tomar el fresco. Me acerqué al ventanillo y aspiré el aire del campo. Se oía la respiración de la noche, enorme, femenina. Regresé al centro de la habitación, vacié el agua de la jarra [9] en la palangana de peltre [10] y humedecí la toalla. Me froté el torso y las piernas con el trapo empapado,[11] me sequé un poco y, tras de cerciorarme [12] que ningún bicho [13] estaba escondido entre los pliegues [14] de mi ropa, me vestí y calcé. Bajé saltando la escalera pintada de verde. En la puerta del mesón [15] tropecé con el dueño, sujeto tuerto [16] y reticente. Sentado en una sillita de tule,[17] fumaba con los ojos entrecerrados.[18] Con voz ronca me preguntó:

—¿Onde [19] va, señor?

—A dar una vuelta. Hace mucho calor.

—Hum, todo está ya cerrado. Y no hay alumbrado [20] aquí. Más le valiera quedarse.

Alcé los hombros,[21] musité [22] "ahora vuelvo" y me metí en lo oscuro. Al principio no veía nada. Caminé a tientas [23] por la calle empedrada. Encendí un cigarrillo. De pronto salió la luna de una nube negra, iluminando un muro blanco, desmoronado a trechos.[24] Me detuve, ciego ante tanta blancura. Sopló un poco de viento.

[1] **ramo**   cluster, bouquet.
[2] **regar**   to water, sprinkle.
[3] **una mariposa de alas grisáceas**   a greyish-winged butterfly.
[4] **encandilada**   high.
[5] **foco**   light.
[6] **hamaca**   bed.
[7] **cuidando no pisar**   taking care not to step on.
[8] **alacrán**   scorpion.
[9] **jarra**   pitcher.
[10] **palangana de peltre**   pewter washbowl.
[11] **trapo empapado**   wet cloth.
[12] **tras de cerciorarme**   after making sure.
[13] **bicho**   bug, vermin.
[14] **pliegues**   folds, creases.
[15] **mesón**   inn.
[16] **sujeto tuerto**   one-eyed man.
[17] **sillita de tule**   small rush chair.
[18] **entrecerrados**   half-closed.
[19] **Onde**   *i.e.,* dónde.
[20] **alumbrado**   lights.
[21] **alzar los hombros**   to shrug.
[22] **musitar**   to mumble.
[23] **a tientas**   groping.
[24] **desmoronado a trechos**   crumbling in places.

Respiré el aire de los tamarindos.[25] Vibraba la noche, llena de hojas e insectos. Los grillos vivaqueaban [26] entre las hierbas altas. Alcé la cara: arriba también habían establecido campamento las estrellas. Pensé que el universo era un vasto sistema de señales, una conversación entre seres inmensos. Mis actos, el serrucho [27]   5 del grillo, el parpadeo [28] de la estrella, no eran sino pausas y síla- bas, frases dispersas de aquel diálogo. ¿Cuál sería esa palabra de la cual yo era una sílaba? ¿Quién dice esa palabra y a quién se la dice? Tiré el cigarrillo sobre la banqueta.[29] Al caer, describió una curva luminosa, arrojando breves chispas, como un cometa 10 minúsculo.

Caminé largo rato, despacio. Me sentía libre, seguro entre los labios [30] que en ese momento me pronunciaban [31] con tanta felici- dad. La noche era un jardín de ojos. Al cruzar una calle, sentí que alguien se desprendía [32] de una puerta. Me volví, pero no acerté 15 a distinguir nada. Apreté [33] el paso. Unos instantes después per- cibí el apagado [34] rumor de unos huaraches [35] sobre las piedras calientes. No quise volverme, aunque sentía que la sombra se acer- caba cada vez más. Intenté correr. No pude. Me detuve en seco,[36] bruscamente. Antes de que pudiese defenderme, sentí la punta de 20 un cuchillo en mi espalda y una voz dulce:

—No se mueva, señor, o se lo entierro.

Sin volver la cara, pregunté;

—¿Qué quieres?

—Sus ojos, señor—contestó la voz, suave, casi apenada.[37]   25

—¿Mis ojos? ¿Para qué te servirán mis ojos? Mira, aquí tengo un poco de dinero. No es mucho, pero es algo. Te daré todo lo que tengo, si me dejas. No vayas a matarme.

—No tenga miedo, señor. No lo mataré. Nada más voy [38] a sa- carle los ojos.   30

Volví a preguntar:

---

[25] **tamarindos**   tamarind trees.

[26] **los grillos vivaqueaban**   the crick- ets were bivouaced.

[27] **serrucho**   handsaw.

[28] **parpadeo**   blinking.

[29] **banqueta**   sidewalk.

[30] **labios**   *refers back to the universe, described above as* "a conver- sation among immense beings".

[31] **me pronunciaban**   were affirming me.

[32] **se desprendía de**   detached him- self from.

[33] **apretar**   to quicken.

[34] **apagado**   muffled.

[35] **huaraches**   sandals.

[36] **en seco**   suddenly.

[37] **apenada**   sorrowful.

[38] **Nada más voy**   I am only going.

—Pero, ¿para qué quieres mis ojos?

—Es un capricho de mi novia. Quiere un ramito de ojos [39] azules. Y por aquí hay pocos que los tengan.

—Mis ojos no te sirven. No son azules, sino amarillos.

—Ay, señor, no quiera engañarme. Bien sé que los tiene azules.

—No se le sacan a un cristiano los ojos así. Te daré otra cosa.

—No se haga el remilgoso [40]—me dijo con dureza—. Dé la vuelta. Me volví. Era pequeño y frágil. El sombrero de palma le cubría medio rostro. Sostenía con el brazo derecho un machete de campo, que brillaba con la luz de la luna.

—Alúmbrese la cara.

Encendí y me acerqué la llama [41] al rostro. El resplandor me hizo entrecerrar los ojos. Él apartó mis párpados [42] con mano firme. No podía ver bien. Se alzó sobre las puntas de los pies y me contempló intensamente. La llama me quemaba los dedos. La arrojé. Permaneció un instante silencioso.

—¿Ya te convenciste? No los tengo azules.

—Ah, qué mañoso [43] es usted—me dijo—. A ver, encienda otra vez.

Froté otro fósforo y lo acerqué a mis ojos. Tirándome de la manga, [44] me ordenó:

—Arrodíllese.

Me hinqué. [45] Con una mano me cogió por los cabellos, echándome la cabeza hacia atrás. Se inclinó sobre mí, curioso y tenso, mientras el machete descendía lentamente hasta rozar [46] mis párpados. Cerré los ojos.

Ábralos bien—me dijo.

Abrí los ojos. La llamita me quemaba las pestañas. Me soltó de improviso. [47]

—Pues no son azules, señor. Dispense.

Y desapareció. Me acodé [48] junto al muro, con la cabeza entre las manos. Luego me incorporé. A tropezones, [49] cayendo y levan-

---

[39] **ojo** eye; *figuratively, center of a flower.*

[40] **No se haga el remilgoso** don't get smart.

[41] **llama** flame (*of the match*)

[42] **apartó mis párpados** he pushed up my eyelids.

[43] **mañoso** tricky.

[44] **manga** sleeve.

[45] **Me hinqué** I fell to my knees.

[46] **rozar** to graze.

[47] **de improviso** suddenly, unexpectedly.

[48] **acodar** to lean.

[49] **A tropezones** stumbling.

tándome, corrí durante una hora por el pueblo desierto. Cuando llegué a la plaza, vi al dueño del mesón, sentado aún frente a la puerta. Entré sin decir palabra. Al día siguiente huí de aquel pueblo.

EXERCISES *El ramo azul*

I. *Cuestionario*

1. ¿Qué vio el narrador al despertarse?
2. ¿Por qué tenía cuidado atravesando el cuarto?
3. ¿Es posible "oír la respiración de la noche"?
4. ¿Qué hizo el narrador antes de bajar la escalera?
5. ¿Con quién tropezó en la puerta del mesón?
6. ¿Por qué le dice el dueño que más le valiera quedarse?
7. ¿Qué vio el hombre al salir la luna?
8. ¿Con qué metáfora describe el universo?
9. ¿Qué significación hay en la imagen de la noche, que era "un jardín de ojos"?
10. ¿Qué sintió al cruzar una calle?
11. ¿Cómo le amenazó el desconocido?
12. ¿Qué quería éste? ¿Para qué?
13. ¿Mentía el narrador cuando dijo que tiene los ojos amarillos?
14. ¿Qué hizo el desconocido para ver los ojos del narrador?
15. ¿Los sacó por fin?
16. ¿Le parece a usted que el dueño tuvo algo que hacer con el episodio?
17. ¿Cómo se explica el título?
18. ¿Cómo nos indica el autor que su protagonista tiene un espíritu poético y sensible?

II. *Spelling changing verbs*

Observe a few examples from the text:

me sequé (secar)   **me acerqué** (acercarse)   **alcé** (alzar)

Recall that **c** (secar) *changes to* **qu** *before* **e** *or* **i** *to keep the sound hard. Some other changes:*

z *to* **c** *before* **e** *or* **i**.

g *to* gu *before* e *or* i *to keep the sound hard*

g, *when pronounced like Spanish* j (*coger*), *changes to* j *before*
a *or* o.

Give the correct form of the verbs in parentheses:

1. En la puerta del mesón yo (*tropezar*) con el dueño.
2. En la puerta del mesón él (*tropezar*) con el dueño.
3. Después de bañarme ayer me (*secar*) con la toalla.
4. ¿Cuánto quiere usted que yo (*pagar*) por el ramo azul?
5. Siento mucho que usted no (*gozar*) de buena salud.
6. El hombre bajó la escalera y (*acercarse*) al dueño.
7. No (*coger*) Vd. el autobús en esa esquina.
8. (*Alzar*) la cara y pensé que el universo era un vasto sistema de señales.
9. Después de lavarse se vistió y (*calzar*).
10. Yo quiero que usted (*dirigirse*) al dueño lo más pronto posible.

III. *Translate the words in parentheses.*

1. Mis ojos no son azules, (*but*) amarillos.
2. (*On crossing*) una calle, sentí que alguién me miraba.
3. No puedo dormir porque (*it is very hot*).
4. (*One could hear*) la respiración de la noche.
5. Los ruidos no eran (*only*) los latidos de mi corazón.
6. Antes de que (*I could*) defenderme, sentí la punta de un cuchillo en mi espalda.
7. (*I asked again:* [*two ways*]): —¿Para qué quieres mis ojos?
8. Cerré los ojos.—(*Open them*), me dijo.
9. (*On the following day*) huí de aquel pueblo.

IV. *Translate the following sentences.*

1. I raised [*alzar*] my eyes and saw a shadow. What could it be?
2. I like the poetic prose of this story.
3. If you find some "blue eyes" in the field, don't pick [*recoger*] them.
4. I encountered [ran into] a small man in the dark night.
5. Falling and getting up, I ran through the deserted town.
6. When I arrived at the inn [*mesón*], I entered without saying a word to the owner.

Encuentro

Al llegar a mi casa, y precisamente en el momento de abrir la puerta, me vi salir. Intrigado, decidí seguirme. El desconocido—escribo con reflexión esta palabra—descendió las escaleras del edificio, cruzó la puerta y salió a la calle. Quise alcanzarlo, pero él apresuraba [1] su marcha exactamente con el mismo ritmo con que   5
yo aceleraba la mía, de modo que la distancia que nos separaba permanecía inalterable. Al rato de andar [2] se detuvo ante un pequeño bar y atravesó su puerta roja. Unos segundos después estaba en la barra del mostrador,[3] a su lado. Pedí una bebida cualquiera mientras examinaba de reojo [4] las hileras [5] de botellas en el apara- 10
dor, el espejo, la alfombra raída,[6] las mesitas amarillas, una pareja que conversaba en voz baja. De pronto me volví y lo miré larga, fijamente. Él enrojeció, turbado. Mientras lo veía, pensaba (con la certeza de que él oía mis pensamientos): "No, no tiene derecho. Ha llegado un poco tarde. Yo estaba antes que usted. Y no hay la 15
excusa del parecido,[7] pues no se trata de semejanza, sino de substitución. Pero prefiero que usted mismo se explique . . ."

Él sonreía débilmente. Parecía no comprender. Se puso a conversar con su vecino. Dominé mi cólera y, tocando levemente su hombro, lo interpelé: [8] 20

—No pretenda ningunearme.[9] No se haga el tonto.[10]

—Le ruego que me perdone, señor, pero no creo conocerlo.

Quise aprovechar su desconcierto [11] y arrancarle de una vez la máscara:

—Sea hombre, amigo. Sea responsable de sus actos. Le voy a 25
enseñar a meterse donde nadie lo llama . . .

Con un gesto brusco me interrumpió: —Usted se equivoca. No sé qué quiere decirme.

Terció un parroquiano: [12]

---

[1] **apresurar** to hasten, hurry.
[2] **al rato de andar** after walking for a while.
[3] **la barra del mostrador** the barroom counter.
[4] **de reojo** with a side glance.
[5] **hileras** rows.
[6] **alfombra raída** threadbare rug.
[7] **parecido** look-alike, being similar.

[8] **lo interpelé** I sought an explanation from him.
[9] **ningunearme** to avoid me.
[10] **No se haga el tonto** Don't pretend to be ignorant of what is going on.
[11] **desconcierto** confusion.
[12] **Terció un parroquiano** A customer interceded.

—Ha de ser un error. Y además, esas no son maneras de tratar a la gente. Conozco al señor y es incapaz . . .

Él sonreía, satisfecho. Se atrevió a darme una palmada: [13]

—Es curioso, pero me parece haberlo visto antes. Y sin embargo no podría decir dónde.   5

Empezó a preguntarme por mi infancia, por mi estado natal y otros detalles de mi vida. No, nada de lo que le contaba parecía recordarle quién era yo. Tuve que sonreír. Todos lo encontraban simpático. Tomamos algunas copas. Él me miraba con benevolencia.   10

—Usted es forastero,[14] señor, no lo niegue. Pero yo voy a tomarlo bajo mi protección. ¡Ya le enseñaré lo que es México, Distrito Federal! [15]

Su calma me exasperaba. Casi con lágrimas en los ojos, sacudiéndolo por la solapa,[16] le grité: 15

—¿De veras, no me conoces? ¿No sabes quién soy?

Me empujó con violencia:

—No me venga con cuentos estúpidos.[17] Deje de fregarnos y buscar camorra.[18]

Todos me miraban con disgusto. Me levanté y les dije: 20

—Voy a explicarles la situación. Este señor los engaña, este señor es un impostor . . .

—Y usted es un imbécil y un desequilibrado [19]—gritó.

Me lancé contra él. Desgraciadamente, resbalé.[20] Mientras procuraba apoyarme en el mostrador, él me destrozó la cara a puñetazos.[21] Me pegaba con saña reconcentrada,[22] sin hablar. Intervino   25
el barman:

—Ya déjalo. Está borracho.

Nos separaron. Me cogieron en vilo [23] y me arrojaron al arroyo:

—Si se le ocurre volver, llamaremos a la policía.   30

Tenía el traje roto, la boca hinchada,[24] la lengua seca. Escupí

[13] **palmada** pat on the back.
[14] **forastero** stranger, outsider.
[15] **México . . .** *i.e.*, Mexico city.
[16] **solapa** lapel.
[17] **con cuentos estúpidos** with your crazy ideas.
[18] **Deje de . . . camorra** Stop annoying and looking for trouble.

[19] **un desequilibrado** a madman.
[20] **resbalar** to slip.
[21] **a puñetazos** with his fists.
[22] **saña reconcentrada** concentrated rage.
[23] **me cogieron en vilo** they picked me up.
[24] **hinchada** swollen.

con trabajo.[25] El cuerpo me dolía. Durante un rato me quedé inmóvil, acechando.[26] Busqué una piedra, algún arma. No había nada. Adentro, reían y cantaban. Salió la pareja; la mujer me vio con descaro [27] y se echó a reír. Me sentí solo, expulsado del mundo de los hombres. A la rabia sucedió la vergüenza.[28] No, lo mejor era volver a casa y esperar otra ocasión. Eché a andar lentamente. En el camino, tuve esta duda que todavía me desvela: [29] ¿y si no fuera él, sino yo . . . ? 5

EXERCISES *Encuentro*

I. *Cuestionario*

1. ¿Dónde establece el autor la irrealidad [unreality] de este cuento?
2. ¿A quién vio el narrador salir de su casa?
3. ¿Qué decidió hacer?
4. ¿A dónde se dirigió el desconocido?
5. ¿Qué examinó el narrador en el bar?
6. ¿De qué se queja el narrador en sus pensamientos?
7. ¿Cómo reacciona el desconocido?
8. ¿Qué dice un parroquiano?
9. ¿Qué le pregunta el desconocido al narrador?
10. Después de algunas copas, ¿qué ofrece hacer el desconocido?
11. ¿Por qué se exaspera el narrador?
12. ¿Cómo se refiere al desconocido?
13. ¿Lo creen los demás?
14. ¿Qué le hizo el desconocido cuando se pelearon?
15. Describa al narrador después de la pelea.
16. ¿Se vengó?
17. ¿Qué duda tuvo?
18. ¿Qué interpretación da usted a este cuento?

II. *Select an appropriate equivalent from the following list for the expressions in parentheses in the sentences below.*

rabia   forastero   disgusto

[25] **Escupí con trabajo** It hurt to spit.
[26] **acechando** lying in wait.
[27] **con descaro** insolently.
[28] **A la rabia . . . vergüenza** Shame replaced rage.
[29] **desvelar** to keep awake.

vasos	tratar de	equivocarse
acelerar	semejante	ponerse
pareja	deber de	brusco

1. No lo conozco a usted. (*Ha de*) ser un error.
2. El (*desconocido*) descendió las escaleras.
3. (*Quise*) alcanzarlo, pero no pude.
4. El (*apresuró*) su marcha al oír el grito.
5. No había sino (*un par de personas*) en el bar.
6. Nadie cree que los dos hombres son (*parecidos*).
7. (*Se echó*) a conversar con su vecino.
8. Dominé mi (*cólera*).
9. Con un gesto (*súbito*) me interrumpió.
10. Usted (*ha hecho un error*); nunca lo he visto.
11. Sin embargo tomaron algunas (*copas*) de cerveza.
12. Todos me miraban con (*desagrado*).

III. *State whether the following are true or false.*

1. El narrador decidió seguirse a sí mismo.
2. No pudo alcanzar al desconocido porque éste tomó un taxi.
3. Los dos se encontraron en un bar elegante lleno de gente.
4. El narrador está enfadado porque piensa que el otro ha llegado tarde. Él estaba antes que aquél.
5. El narrador fue pegado por un parroquiano del bar.
6. Todos encontraban simpático al desconocido.
7. Los dos hombres se pelean en el bar.
8. El barman dice que el narrador está borracho.
9. El narrador se vengó con una piedra.
10. Al final se siente solo, expulsado del mundo de los hombres.

IV. *Review the following, and translate the sentences below.*

atreverse a + *infinitive*
dejar de + *infinitive*
lo + *adjective makes a noun*
¿qué?, ¿quién?, etc., *retain the accent mark in indirect question*

1. Have you ever met someone who was your double [*parecido*]?
2. I must confess that this story has more than one meaning.

3. He dared to look at him silently and fixedly.
4. I can't tell you where I have seen you before.
5. The best thing was to return home.
6. He stopped smiling when I called him an impostor.
7. I don't know what you want to tell me.

Miguel de Unamuno
1864 ▪ 1936

For many critics Miguel de Unamuno is the major Spanish literary figure of the twentieth century. The one word which most faithfully characterizes the man and his works is passion, or, as he preferred to call it, agony. No matter what we read of his vast literary production—which includes all genres: the novel, the short story, the drama, the essay, poetry—we are struck by the anguish and the torment of his soul as it struggles to find an answer for his chief philosophical preoccupation: man and his destiny. Man, for Unamuno, is viewed not as an abstract entity, but as the man of flesh and blood (*el hombre de carne y hueso*). The best exposition of this human problem is to be found in Unamuno's famous work *Del sentimiento trágico de la vida,* 1912.

Unamuno was almost literally torn by the constant battle within him between faith, which strengthened his belief in immortality, and reason, which opposed it. "I need," he says, "the immortality of the soul, of my individual soul. Without faith in it I cannot live, and the doubt of reaching it torments me. And since I need it, my passion leads me to affirm it, even against reason."

A Basque like Pío Baroja, Unamuno was born in Bilbao, but most of his adult life was centered around the University of Salamanca, where he was appointed professor of Greek at the age of twenty-seven, and rector ten years later. A man of extraordinary erudition, he was well versed not only in the classical languages and Romance philology, but also in German, English, and Danish. Early in his career he viewed with concern the contemporary decadence of Spain, like the other writers of the Generation of '98, and with the same fervor he displayed in pursuing answers to religious questions.

Unamuno's whole preoccupation is projected into his fictional characters (whom he called his "agonists") and into the structure and style of his works. Antithesis, paradox, the coining of words, inversion, are all characteristic of his style.

In the play *La venda* that follows, Unamuno typically concentrates upon the intense emotional experience, the passion, of his protagonist María; everything else is subordinated, with the result that the other characters, instead of being developed, are like specta-

tors. Unamuno's deeply religious preoccupation is evident throughout the play, and you will note also the effective use of paradox so
typical of the author: María can "see" only when her eyes are blind-
folded. The contrast of light and darkness, reason and faith, is
introduced first by a dialogue, and then developed as the play
begins.

La venda

Drama En Un Acto Y Dos Cuadros

Personajes:

> DON PEDRO
> DON JUAN
> MARÍA
> SEÑORA EUGENIA
> EL PADRE
> MARTA
> JOSÉ
> CRIADA

Cuadro Primero

En una calle de una vieja ciudad provinciana.

DON PEDRO. ¡Pues lo dicho,[1] no, nada de ilusiones! Al pueblo debemos darle siempre la verdad, toda la verdad, la pura verdad, y sea luego lo que fuere.[2]

DON JUAN. ¿Y si la verdad le [3] mata y la ilusión le vivifica? 5

DON PEDRO. Aun así. El que a manos de la verdad muere, bien muerto está, créemelo.

DON JUAN. Pero es que hay que vivir . . .

DON PEDRO. ¡Para conocer la verdad y servirla! La verdad es vida. 10

DON JUAN. Digamos más bien: la vida es verdad.

DON PEDRO. Mira, Juan, que estás jugando con las palabras . . .

DON JUAN. Y con los sentimientos tú, Pedro.

DON PEDRO. ¿Para qué se nos dio [4] la razón, dime?

DON JUAN. Tal vez para luchar contra ella y así merecer la vida . . . 15

DON PEDRO. ¡Qué enormidad! [5] No, sino más bien para luchar en la vida y así merecer la verdad.

DON JUAN. ¡Qué atrocidad! [6] Tal vez nos sucede con la verdad lo

---

[1] **lo dicho** just what I said.

[2] **sea luego lo que fuere** come what may. *The future subjunctive (fuere) is rarely used today.*

[3] **le** *i.e.,* **el pueblo.**

[4] **dio** *with* **se,** *the passive voice in English* was given.

[5] **¡Qué enormidad!** Nonsense!

[6] **¡Qué atrocidad!** That's ridiculous!

que, según las Sagradas Letras,[7] nos sucede con Dios, y es que quien le ve se muere . . .

DON PEDRO.   ¡Qué hermosa muerte! ¡Morir de haber visto la verdad! ¿Puede apetecerse [8] otra cosa?

DON JUAN.   ¡La fe, la fe es la que nos da vida; por la fe vivimos,   5
la fe nos da el sentido de la vida, nos da a Dios!

DON PEDRO.   Se vive por la razón, amigo Juan; la razón nos revela el secreto del mundo, la razón nos hace obrar . . .

DON JUAN. (*Reparando en* MARÍA.)   ¿Qué le pasará [9] a esa mujer?
(*Se acerca* MARÍA *como despavorida y quien no sabe dónde*   10
anda. Las manos extendidas, palpando el aire.)

MARÍA.   ¡Un bastón, por favor! Lo olvidé en casa.

DON JUAN.   ¿Un bastón? ¡Ahí va! (*Se lo da.* MARÍA *lo coge.*)

MARÍA.   ¿Dónde estoy? (*Mira en derredor.*) ¿Cuál es el camino?
Estoy perdida. ¿Qué es esto? ¿Cuál es el camino? Tome, tome;   15
espere. (*Le devuelve el bastón.* MARÍA *saca un pañuelo y se*
venda con él los ojos.)

DON PEDRO.   Pero, ¿qué está usted haciendo, mujer de Dios? [10]

MARÍA.   Es para mejor ver el camino.

DON PEDRO.   ¿Para mejor ver el camino taparse los ojos? ¡Pues no   20
lo comprendo!

MARÍA.   ¡Usted no, pero yo sí!

DON PEDRO. (*A* DON JUAN, *aparte.*)   Parece loca.

MARÍA.   ¿Loca? ¡No, no! Acaso no fuera peor.[11] ¡Oh, qué desgracia, Dios mío, qué desgracia! ¡Pobre padre! ¡Pobre padre! Vaya,   25
adiós y dispénsenme.

DON PEDRO. (*A* DON JUAN.)   Lo dicho, loca.

DON JUAN. (*Deteniéndola.*)   Pero ¿qué le pasa, buena mujer?

MARÍA. (*Vendada ya.*)   Déme ahora el bastón, y dispénsenme.

DON JUAN.   Pero antes explíquese . . .   30

MARÍA. (*Tomando el bastón.*)   Dejémonos [12] de explicaciones, que
se muere mi padre. Adiós. Dispénsenme. (*Lo toma.*) Mi pobre
padre se está muriendo y quiero verle; quiero verle antes que
se muera. ¡Pobre padre! ¡Pobre padre! (*Toca con el bastón en*
los muros de las casas y parte.)   35

[7] **Sagradas Letras** Holy Scriptures.
[8] **apetecer** to long for.
[9] **¿Qué le pasará?** I wonder what can be the matter with . . .
[10] **mujer de Dios** my good woman.

[11] **Acaso no fuera peor** Perhaps it might not be worse; *i.e., madness could not be worse than my father's death.*
[12] **dejarse de** to put aside.

DON PEDRO. (*Adelantándose.*[13]) Hay que detenerla; se va a matar. ¿Dónde irá así?

DON JUAN. (*Deteniéndole.*) Esperemos a ver. Mira qué segura va, con qué paso tan firme. ¡Extraña locura! . . .

DON PEDRO. Pero si es que está loca . . . 5

DON JUAN. Aunque así sea. ¿Piensas con [14] detenerla, curarla? ¡Déjala!

DON PEDRO. (*A la* SEÑORA EUGENIA, *que pasa.*) Loca, ¿no es verdad?

SEÑORA EUGENIA. ¿Loca? No, ciega. 10

DON PEDRO. ¿Ciega?

SEÑORA EUGENIA. Ciega, sí. Recorre así, con su bastón, la ciudad toda y jamás se pierde. Conoce sus callejas y rincones todos. Se casó hará cosa de un año,[15] y casi todos los días va a ver a su padre, que vive en un barrio de las afueras.[16] Pero ¿es que 15 ustedes no son de la ciudad?

DON JUAN. No, señora; somos forasteros.[17]

SEÑORA EUGENIA. Bien se conoce.

DON JUAN. Pero diga, buena mujer, si es ciega, ¿para qué se venda así los ojos? 20

SEÑORA EUGENIA. (*Encogiéndose* [18] *de hombros.*) Pues si he de decirles a ustedes la verdad, no lo sé. Es la primera vez que le [19] veo hacerlo. Acaso la luz le ofenda . . .

DON JUAN. ¿Si no ve, cómo va a dañarle la luz?

DON PEDRO. Puede la luz dañar a los ciegos . . . 25

DON JUAN. ¡Más nos daña a los que vemos!

(*La* CRIADA, *saliendo de la casa y dirigiéndose a la* SEÑORA EUGENIA.)

CRIADA. ¿Ha visto a mi señorita,[20] señora Eugenia?

SEÑORA EUGENIA. Sí; por allá abajo [21] va. Debe de estar ya en la 30 calle del Crucero.

---

[13] **adelantarse** to move ahead.

[14] **Piensas con** Do you think you can.

[15] **hará cosa de un año** it must be about a year ago.

[16] **afueras** outskirts.

[17] **forastero** outsider, stranger.

[18] **encoger** to shrug.

[19] **le** her. *Compare the next sentence.*

[20] **señorita** mistress. *Servants use the diminutive form of* **señor** *and* **señora** *to refer to master and mistress.*

[21] **por allá abajo** down that way.

CRIADA. ¡Qué compromiso,[22] Dios mío, qué compromiso!

DON PEDRO. (*A la* CRIADA.) Pero dime, muchacha: ¿tu señora está ciega?

CRIADA. No, señor; lo estaba.

DON PEDRO. ¿Cómo que [23] lo estaba? 5

CRIADA. Sí; ahora ve ya.

SEÑORA EUGENIA. ¿Que ve? . . . ¿Cómo . . . , cómo es eso? ¿Qué es eso de [24] que ve ahora? Cuenta, cuenta.

CRIADA. Sí, ve.

DON JUAN. A ver,[25] a ver eso. 10

CRIADA. Mi señorita era ciega, ciega de nacimiento, cuando se casó con mi amo, hará cosa de un año; pero hace cosa de un mes vino un médico que dijo podía dársele la vista, y le operó y le hizo ver. Y ahora ve.

SEÑORA EUGENIA. Pues nada de eso sabía yo . . . 15

CRIADA. Y está aprendiendo a ver y conocer las cosas. Las toca cerrando los ojos y después los abre y vuelve a tocarlas y las mira. Le mandó el médico que no saliera a la calle hasta conocer bien la casa y lo de [26] la casa, y que no saliera sola, claro está. Y ahora ha venido no sé quién a decirle que su padre está 20 muy malo, muy malo, muriéndose, y se empeñaba [27] en ir a verle. Quería que le acompañase yo, y es natural, me he negado [28] a ello. He querido impedírselo,[29] pero se me ha escapado. ¡Vaya un compromiso! [22]

DON JUAN. (*A* DON PEDRO.) Mira, mira lo de [30] la venda; ahora me 25 lo explico. Se encontró en un mundo que no conocía de vista. Para ir a su padre no sabía otro camino que el de las tinieblas. ¡Qué razón tenía al decir que se vendaba los ojos para mejor ver su camino! Y ahora volvamos a lo de la ilusión y la verdad pura, a lo de la razón y la fe. (*Se van.*) 30

DON PEDRO. (*Al irse.*) A pesar de todo, Juan, a pesar de todo . . . (*No se les oye.*)

---

[22] **compromiso**   situation.
[23] **¿Cómo que?**   What do you mean?
[24] **eso de**   this business of (*her seeing now*).
[25] **A ver**   Let's see; *here*   tell us.
[26] **lo de**   everything in.
[27] **empeñarse en**   to insist on.

[28] **negarse a**   to refuse.
[29] **impedir**   to prevent; *the person involved (her) is indirect object (le > se).*
[30] **lo de**   *like eso de*   this matter of, this business of.

SEÑORA EUGENIA. Qué cosas tan raras dicen estos señores, y dime: ¿y qué va a pasar?

CRIADA. ¡Yo qué sé! A mí me dejó encargado [31] el amo, cuando salió a ver al abuelo—me parece que de ésta [32] se muere—que no se le dijese a ella nada, y no sé por quién lo ha sabido . . .

SEÑORA EUGENIA. ¿Conque dices que ve ya?

CRIADA. Sí; ya ve.

SEÑORA EUGENIA. ¡Quién lo diría, mujer, quién lo diría, después que una la ha conocido así toda la vida, cieguecita [33] la pobre! ¡Bendito sea Dios! Lo que somos, mujer, lo que somos. Nadie puede decir "de esta agua no beberé". Pero dime: ¿así que [34] cobró vista, qué fue lo primero que hizo?

CRIADA. Lo primero, luego que [34] se le pasó el primer mareo, pedir un espejo.

SEÑORA EUGENIA. Es natural . . .

CRIADA. Y estando mirándose en el espejo, como una boba,[35] sintió rebullir [36] al niño, y tirando el espejo se volvió a él, a verlo, a tocarlo . . .

SEÑORA EUGENIA. Sí; me han dicho que tiene ya un hijo . . .

CRIADA. Y hermosísimo . . . ¡Qué rico! [37] Fue apenas se repuso [38] del parto cuando le dieron vista. Y hay que verla con el niño. ¡Qué cosa hizo cuando le vio primero! Se quedó mirándole mucho, mucho, mucho tiempo y se echó a llorar. "¿Es esto mi hijo?", decía. "¿Esto?" Y cuando le da de mamar [39] le toca y cierra los ojos para tocarle, y luego los abre y le mira y le besa y le mira a los ojos para ver si le ve, y le dice: "¿Me ves, ángel? ¿Me ves, cielo?" Y así . . .

SEÑORA EUGENIA. ¡Pobrecilla! Bien merece la vista. Sí, bien la merece, cuando hay por ahí tantas pendengonas [40] que nada se perdería aunque ellas no viesen ni las viese nadie. Tan buena, tan guapa . . . ¡Bendito sea Dios!

---

[31] **me dejó encargado** made me promise (**que no se le dijese a ella nada,** *below*) that nothing be told to her.

[32] **de ésta** this time.

[33] **cieguecita** *diminutive of* **ciega** (*the poor*) dear blind woman.

[34] **así que** *and* **luego que** as soon as.

[35] **boba** simpleton.

[36] **rebullir** to stir.

[37] **¡Qué rico!** How precious!

[38] **Fue apenas se repuso** She had scarcely recovered.

[39] **le da de mamar** she nurses him.

[40] **pendengona** busybody.

CRIADA. Sí, como buena, no puede ser mejor . . .

SEÑORA EUGENIA. ¡Dios se la conserve! ¿Y no ha visto aún a su padre?

CRIADA. ¿Al abuelo? ¡Ella no! Al que lo ha llevado a que lo vea [41] es al niño. Y cuando volvió le llenó de besos, y le decía: "¡Tú, tú le has visto, y yo no! ¡Yo no he visto nunca a mi padre!"

SEÑORA EUGENIA. ¡Qué cosas pasan en el mundo! . . . ¿Qué le vamos a hacer, hija? . . . Dejarlo.

CRIADA. Sí, así es. Pero ahora ¿qué hago yo?

SEÑORA EUGENIA. Pues dejarlo.

CRIADA. Es verdad.

SEÑORA EUGENIA. ¡Qué mundo, hija, qué mundo!

CUADRO SEGUNDO

Interior de casa de familia clase media.

EL PADRE. Esto se acaba. Siento que la vida se me va por momentos. He vivido bastante y poca guerra [42] os daré ya.

MARTA. ¿Quién habla de dar guerras, padre? No diga esas cosas; cualquiera creería . . .

EL PADRE. Ahora estoy bien; pero cuando menos lo espere volverá el ahogo [43] y en una de éstas . . . [44]

MARTA. Dios aprieta, pero no ahoga, padre.

EL PADRE. ¡Así dicen! . . . Pero ésos son dichos, [45] hija. Los hombres se pasan la vida inventando dichos. Pero muero tranquilo, porque os veo a vosotras, a mis hijas, amparadas [46] ya en la vida. Y Dios ha oído mis ruegos y me ha concedido que mi María, cuya ceguera fue la constante espina [47] de mi corazón, cobre la vista antes de yo morirme. Ahora puedo morir en paz.

MARTA. (*Llevándole una taza de caldo.*[48]) Vamos, padre, tome, que hoy está muy débil; tome.

EL PADRE. No se cura con caldos mi debilidad, Marta. Es incu-

---

[41] **Al que lo ha llevado a que lo vea.** The one whom she took to see him.

[42] **guerra** trouble; *dar guerra* to annoy; to be troublesome.

[43] **ahogo** suffocation, shortness of breath.

[44] **éstas** *i.e.,* times *or* occasions.

[45] **dicho** saying.

[46] **amparar** to protect; to shelter.

[47] **espina** thorn.

[48] **caldo** broth.

rable. Pero trae, te daré gusto. (*Toma el caldo.*) Todo esto es inútil ya.

MARTA.   ¿Inútil? No tal.[49] Esas son aprensiones, padre, nada más que aprensiones. No es sino debilidad. El médico dice que se ha iniciado una franca [50] mejoría.   5

EL PADRE.   Sí, es la frase consagrada.[51] ¿El médico? El médico y tú, Marta, no hacéis sino tratar de engañarme. Sí, sí, ya sé que es con buena intención, por piedad, hija, por piedad; pero ochenta años resisten a todo engaño.

MARTA.   ¿Ochenta? ¡Bah! ¡Hay quien vive ciento!   10

EL PADRE.   Sí, y quien se muere de veinte.

MARTA.   ¿Quién habla de morirse, padre?

EL PADRE.   Yo, hija; yo hablo de morirme.

MARTA.   Hay que ser razonable . . .

EL PADRE.   Sí, te entiendo, Marta. Y dime: tu marido, ¿dónde anda   15
tu marido?

MARTA.   Hoy le tocan trabajos de campo. Salió muy de mañana.

EL PADRE.   ¿Y volverá hoy?

MARTA.   ¿Hoy? ¡Lo dudo! Tiene mucho que hacer, tarea [52] para   20
unos días.

EL PADRE.   ¿Y si no vuelvo a verle?

MARTA.   ¿Pues no ha de volver a verle, padre?

EL PADRE.   ¿Y si no vuelvo a verle? Digo . . .

MARTA.   ¿Qué le vamos a hacer? . . . Está ganándose nuestro   25
pan.

EL PADRE.   Y no puedes decir el pan de nuestros hijos, Marta.

MARTA.   ¿Es un reproche, padre?

EL PADRE.   ¿Un reproche? No . . . , no . . . , no . . .

MARTA.   Sí; con frecuencia habla de un modo que parece como si   30
me inculpara [53] nuestra falta de hijos . . . Y acaso debería regocijarse [54] por ello . . .

EL PADRE.   ¿Regocijarme? ¿Por qué, por qué, Marta? . . .

MARTA.   Porque así puedo yo atenderle mejor.

---

[49] **No tal**   No, not at all.
[50] **franca**   clear, evident.
[51] **consagrada**   sacred, time-honored.
[52] **tarea**   job, work.
[53] **inculpar**   to blame.

[54] **regocijarse**   to rejoice; **acaso debería regocijarse por ello**   and
perhaps you are even glad about
it.

EL PADRE. Vamos sí, que yo, tu padre, hago para ti las veces de [55] hijo . . . Claro, estoy en la segunda infancia . . . , cada vez más niño . . . ; pronto voy a desnacer . . .[56]

MARTA. (*Dándole un beso.*) Vamos, padre, déjese de esas cosas . . .

EL PADRE. Sí, mis cosas, las que me dieron fama de raro . . . Tú siempre tan razonable, tan juiciosa,[57] Marta. No creas que me molestan tus reprimendas . . .

MARTA. ¿Reprimendas, yo? ¿Y a usted, padre?

EL PADRE. Sí, Marta, sí; aunque con respeto, me tratas como a un chiquillo antojadizo.[58] Es natural . . . (*Aparte.*) Lo mismo hice con mi padre yo. Mira: que Dios os dé ventura, y si ha de seros para bien, que os dé también hijos. Siento morirme sin haber conocido un nieto que me venga de ti.

MARTA. Ahí está el de mi hermana María.

EL PADRE. ¡Hijo mío! ¡Qué encanto de chiquillo! ¡Qué flor de carne! [59] ¡Tiene los ojos mismos de su madre . . . , los mismos! Pero el niño ve, ¿no es verdad, Marta? El niño ve . . .

MARTA. Sí, ve . . . ; parece que ve . . .

EL PADRE. Parece . . .

MARTA. Es tan pequeñito, aún . . .

EL PADRE. ¡Y ve ella, ve ya ella, ve mi María! ¡Gracias, Dios mío, gracias! Ve mi María . . . Cuando yo ya había perdido toda esperanza . . . No debe desesperarse nunca, nunca . . .

MARTA. Y progresa de día en día. Maravillas hace hoy la ciencia . . .

EL PADRE. ¡Milagro eterno es la obra de Dios!

MARTA. Ella está deseando venir a verle, pero . . .

EL PADRE. Pues yo quiero que venga, que venga en seguida, en seguida, que la vea yo, que me vea ella, y que le [60] vea como me ve. Quiero tener antes de morirme el consuelo de que mi hija ciega me vea por primera, tal vez por última vez . . .

MARTA. Pero, padre, eso no puede ser ahora. Ya la verá usted y le verá ella cuando se ponga mejor . . .

---

[55] **hacer las veces de**   to serve as; to substitute.

[56] **desnacer**   to get *or* become unborn. *This kind of antithetical word coining is characteristic of Unamuno.*

[57] **juiciosa**   wise, judicious.

[58] **antojadizo**   capricious.

[59] **¡Qué flor de carne!**   What smooth skin!

[60] **le**   her.

EL PADRE.   ¿Quién? ¿Yo? ¿Cuando me ponga yo mejor?

MARTA.   Sí, y cuando ella pueda salir de casa.

EL PADRE.   ¿Es que no puede salir ahora?

MARTA.   No, todavía no; se lo ha prohibido el médico.

EL PADRE.   El médico . . . , el médico . . . , siempre el médico 5
. . . Pues yo quiero que venga. Ya que he visto, aunque sólo
sea un momento, a su hijo, a mi nietecillo, quiero antes de morir
ver que ella me ve con sus hermosos ojos . . .

(*Entra* JOSÉ.)

EL PADRE.   Hola, José, ¿tu mujer?   10

JOSÉ.   María, padre, no puede venir. Ya se la traeré cuando pasen
unos días.

EL PADRE.   Es que cuando pasen unos días habré yo ya pasado.

MARTA.   No le hagas caso; ahora le ha entrado la manía de que
tiene que morirse.   15

EL PADRE.   ¿Manía?

JOSÉ. (*Tomándole el pulso.*)   Hoy está mejor el pulso, parece.

MARTA. (*A* JOSÉ, *aparte.*)   Así; hay que engañarle.

JOSÉ.   Sí, que se muera sin saberlo.

MARTA.   Lo cual no es morir.   20

EL PADRE.   ¿Y el niño, José?

JOSÉ.   Bien, muy bien, viviendo.

EL PADRE.   ¡Pobrecillo! Y ella loca de contenta con eso de ver a su
hijo . . .

JOSÉ.   Figúrese, padre.   25

EL PADRE.   Tenéis que traérmelo otra vez, pero pronto, muy pronto.
Quiero volver a verle. Como que me rejuvenece. Si le viese aquí,
en mis brazos, tal vez todavía resistiese [61] para algún tiempo
más.

JOSÉ.   Pero no puede separársele mucho tiempo de su madre.   30

EL PADRE.   Pues que me le traiga ella.

JOSÉ.   ¿Ella?

EL PADRE.   Ella, sí; que venga con el niño. Quiero verla con el
niño y con vista y que me vean los dos . . .

JOSÉ.   Pero es que ella . . .   35

(EL PADRE *sufre un ahogo.*)

JOSÉ. (*A* MARTA.)   ¿Cómo va?

MARTA.   Mal, muy mal. Cosas del corazón . . .

---

[61] **resistiese**   *More common as a sub-
stitute for the conditional tense*   *is the subjunctive in* **-ra.**

JOSÉ. Sí, muere por lo que ha vivido; muere de haber vivido.[62]

MARTA. Está, como ves, a ratos tal cual.[63] Estos ahogos se le pasan pronto, y luego está tranquilo, sosegado, habla bien, discurre bien . . . El médico dice que cuando menos lo pensemos se nos quedará muerto, y que sobre todo hay que evitarle las emociones fuertes. Por eso creo que no debe venir tu mujer; sería matarle . . .

JOSÉ. ¡Claro está!

EL PADRE. Pues, sí, yo quiero que venga.

(*Entra* MARÍA *vendada.*)

JOSÉ. Pero mujer, ¿qué es esto?

MARTA. (*Intentando detenerla.*) ¿Te has vuelto loca, hermana?

MARÍA. Déjame, Marta.

MARTA. Pero ¿a qué vienes?

MARÍA. ¿A qué? ¿Y me lo preguntas, tú, tú, Marta? A ver al padre antes que se muera . . .

MARTA. ¿Morirse?

MARÍA. Sí; sé que se está muriendo. No trates de engañarme.

MARTA. ¿Engañarte yo?

MARÍA. Sí, tú. No temo a la verdad.

MARTA. Pero no es por ti, es por él, por nuestro padre. Esto puede precipitarle su fin . . .

MARÍA. Ya que ha de morir, que muera conmigo.

MARTA. Pero . . . ¿qué es eso? (*Señalando la venda.*) ¡Quítatelo!

MARÍA. No, no, no me la quito; dejadme. Yo sé lo que me hago.

MARTA. (*Aparte.*) ¡Siempre lo mismo!

EL PADRE. (*Observando la presencia de* MARÍA.) ¿Qué es eso? ¿Quién anda ahí? ¿Con quién hablas? ¿Es María? ¡Sí, es María! ¡María! ¡María! ¡Gracias a Dios que has venido!

(*Se adelanta* MARÍA, *deja el bastón y sin desvendarse se arrodilla al pie de su padre, a quien acaricia.*)

MARÍA. Padre, padre; ya me tienes [64] aquí, contigo.

EL PADRE. ¡Gracias a Dios, hija! Por fin tengo el consuelo de verte antes de morirme. Porque yo me muero . . .

[62] **Sí, muere . . . vivido** *Another typical example of Unamuno's style.*

[63] **a ratos tal cual** from time to time like this.

[64] **tienes** (*Note that María uses* **tú** *with her father, unlike Marta, who uses* **usted.**)

MARÍA. No, todavía no, que estoy yo aquí.

EL PADRE. Sí, me muero.

MARÍA. No; tú no puedes morirte, padre.

EL PADRE. Todo nacido muere . . .

MARÍA. ¡No, tú no! Tú . . .

EL PADRE. ¿Qué? ¿Que no nací? No me viste tú nacer, de cierto, hija. Pero nací . . . y muero . . .

MARÍA. ¡Pues yo no quiero que te mueras, padre!

MARTA. No digáis bobadas. (*A* JOSÉ.) No se debe hablar de la muerte, y menos a moribundos.

JOSÉ. Sí, con el silencio de la conjura.[65]

EL PADRE. (*A* MARÍA.) Acércate, hija, que no te veo bien; quiero que me veas antes de yo morirme, quiero tener el consuelo de morir después de haber visto que tus hermosos ojos me vieron. Pero, ¿qué es eso? ¿Qué es eso que tienes, ahí, María?

MARÍA. Ha sido para ver el camino.

EL PADRE. ¿Para ver el camino?

MARÍA. Sí; no lo conocía.

EL PADRE. (*Recapacitando.*[66]) Es verdad; pero ahora que has llegado a mí, quítatelo. Quítate eso. Quiero verte los ojos; quiero que me veas; quiero que me conozcas . . .

MARÍA. ¿Conocerte? Te conozco bien, muy bien, padre. (*Acariciándole.*) Éste es mi padre, éste, éste y no otro. Éste es el que sembró [67] de besos mis ojos ciegos, besos que al fin, gracias a Dios, han florecido; el que me enseñó a ver lo invisible y me llenó de Dios el alma. (*Le besa en los ojos.*) Tú viste por mí, padre, y mejor que yo. Tus ojos fueron míos. (*Besándole en la mano.*) Esta mano, esta santa mano, me guió por los caminos de tinieblas de mi vida. (*Besándole en la boca.*) De esta boca partieron [68] a mi corazón las palabras que enseñan lo que en la vida no vemos. Te conozco, padre, te conozco; te veo, te veo muy bien, te veo con el corazón. (*Le abraza.*) ¡Éste, éste es mi padre y no otro! Éste, éste, éste . . .

JOSÉ. ¡María!

MARÍA. (*Volviéndose.*) ¿Qué?

MARTA. Sí, con esas cosas le estás haciendo daño. Así se le excita . . .

---

[65] **conjura**   conspiracy.
[66] **recapacitar**   to run over in one's mind.
[67] **sembrar**   to seed; to sow.
[68] **partieron** (a)   penetrated.

MARÍA. ¡Bueno, dejadnos! ¿No nos dejaréis aprovechar la vida que nos resta? [69] ¿No nos dejaréis vivir?

JOSÉ. Es que eso . . .

MARÍA. Sí, esto es vivir, eso. (*Volviéndose a su padre.*) Esto es vivir, padre, esto es vivir. 5

EL PADRE. Sí, esto es vivir; tienes razón, hija mía.

MARTA. (*Llevando una medicina.*) Vamos, padre, es la hora; a tomar [70] esto. Es la medicina . . .

EL PADRE. ¿Medicina? ¿Para qué?

MARTA. Para sanarse. 10

EL PADRE. Mi medicina (*señalando a* MARÍA) es ésta. María, hija mía, hija de mis entrañas . . .[71]

MARTA. Sí, ¿y la otra?

EL PADRE. Tú viste siempre, Marta. No seas envidiosa.

MARTA. (*Aparte.*) Sí, ella ha explotado su desgracia. 15

EL PADRE. ¿Qué rezongas [72] ahí tú, la juiciosa?

MARÍA. No la reprendas,[73] padre. Marta es muy buena. Sin ella, ¿qué hubiéramos hecho nosotros? ¿Vivir de besos? Ven, hermana, ven. (MARTA *se acerca, y las dos hermanas se abrazan y besan.*) Tú, Marta, naciste con vista; has gozado siempre de la 20 luz. Pero déjame a mí, que no tuve otro consuelo que las caricias de mi padre.

MARTA. Sí, sí, es verdad.

MARÍA. ¿Lo ves, Marta, lo ves? Si tú tienes que comprenderlo . . . (*La acaricia.*) 25

MARTA. Sí, sí; pero . . .

MARÍA. Deja los peros,[74] hermana. Tú eres la de los peros . . . ¿Y qué tal? ¿Cómo va padre?

MARTA. Acabando . . .

MARÍA. Pero . . . 30

MARTA. No hay pero que valga.[75] Se le va la vida por momentos . . .

MARÍA. Pero con la alegría de mi curación, con la de ver al nieto. Yo creo . . .

MARTA. Tú siempre tan crédula y confiada, María. Pero no, se 35

[69] **restar** to remain.
[70] **a tomar** let's take.
[71] **entrañas** heart.
[72] **rezongar** to grumble; to mutter.
[73] **reprender** to scold; to reproach.

[74] **peros** *referring to* **pero,** *above* but's.
[75] **No hay pero que valga** no but about it.

muere, y acaso sea mejor. Porque esto no es vida. Sufre y nos hace sufrir a todos. Sea lo que haya de ser, pero que no sufra . . .

MARÍA. Tú siempre tan razonable, Marta.

MARTA. Vaya, hermana, conformémonos[76] con lo inevitable. (*Abrázanse.*) Pero quítate eso,[77] por Dios. (*Intenta quitárselo.*)

MARÍA. No, no, déjamela . . .[78] Conformémonos, hermana.

MARTA. (*A* JOSÉ.) Así acaban siempre estas trifulcas[79] entre nosotras.

JOSÉ. Para volver a empezar.

MARTA. ¡Es claro! Es nuestra manera de querernos . . .

EL PADRE. (*Llamando.*) María, ven. ¡Y quítate esa venda, quítatela! ¿Por qué te la has puesto? ¿Es que la luz te daña?

MARÍA. Ya te he dicho que fue para ver el camino al venir a verte.

EL PADRE. Quítatela; quiero que me veas a mí, que no soy el camino.

MARÍA. Es que te veo. Mi padre es éste y no otro. (EL PADRE *intenta quitársela y ella le retiene las manos.*) No, no; así, así.

EL PADRE. Por lo menos que te vea los ojos, esos hermosos ojos que nadaban en tinieblas, esos ojos en los que tantas veces me vi mientras tú no me veías con ellos. Cuántas veces me quedé extasiado contemplándotelos, mirándome dolorosamente[80] en ellos y diciendo: "¿Para qué tan hermosos si no ven?"

MARÍA. Para que tú, padre, te vieras en ellos; para ser tu espejo, un espejo vivo.

EL PADRE. ¡Hija mía! ¡Hija mía! Más de una vez mirando así yo tus ojos sin vista, cayeron a[81] ellos desde los míos lágrimas de dolorosa resignación . . .

MARÍA. Y yo las lloré luego, tus lágrimas, padre.

EL PADRE. Por esas lágrimas, hija, por esas lágrimas, mírame ahora con tus ojos; quiero que me veas . . .

MARÍA. (*Arrodillada al pie de su padre.*) Pero sí te veo, padre, sí te veo . . .

CRIADA. (*Desde dentro, llamando.*) ¡Señorito!

JOSÉ. (*Yendo a su encuentro.*[82]) ¿Qué hay?

---

[76] **conformarse (con)** to resign oneself (*to*).

[77] **eso** *i.e.*, the handkerchief over her eyes.

[78] **déjamela:** *la refers to la venda.*

[79] **trifulca** squabble, row.

[80] **dolorosamente** sorrowfully.

[81] **a** on.

[82] **Yendo a su encuentro** going over to (*meet*) her.

CRIADA. (*Entra llevando al niño.*) Suponiendo que no volverían y como empezó a llorar, lo he traído; pero ahora está dormido . . .

JOSÉ. Mejor; déjalo; llévalo.

MARÍA. (*Reparando.*) ¡Ah! ¡Es el niño! Tráelo, tráelo, José. 5

EL PADRE. ¿El niño? ¡Sí, traédmelo!

MARTA. ¡Pero, por Dios! . . .

(*La* CRIADA *trae al niño; lo toma* MARÍA, *lo besa y se lo pone delante al abuelo.*)

MARÍA. Aquí lo tienes, padre. (*Se lo pone en el regazo.*[83]) 10

EL PADRE. ¡Hijo mío! Mira cómo sonríe en sueños. Dicen que es [84] que está conversando con los ángeles . . . ¿Y ve, María, ve?

MARÍA. Ve sí, padre, ve.

EL PADRE. Y tiene tus ojos, tus mismos ojos . . . A ver, a ver, que los abra . . . 15

MARÍA. No, padre, no; déjale que duerma. No se debe despertar a los niños cuando duermen. Ahora está en el cielo. Está mejor dormido.

EL PADRE. Pero tú abrelos . . . , quítate eso . . . , mírame . . . ; quiero que me veas y que te veas aquí, ahora, quiero ver que 20 me ves . . . , quítate eso. Tú me ves acaso, pero yo no veo que me ves, y quiero ver que me ves; quítate eso . . .

MARTA. ¡Bueno, basta de estas cosas! ¡Ha de ser el último! [85] ¡Hay que dar ese consuelo al padre! (*Quitándole la venda.*) ¡Ahí tienes a nuestro padre, hermana! 25

MARÍA. ¡Padre! (*Se queda como despavorida mirándole. Se frota los ojos, los cierra, etc.* EL PADRE *lo mismo.*)

JOSÉ. (*A* MARTA.) Me parece demasiado fuerte la emoción. Temo que su corazón no la resista.

MARTA. Fue una locura esta venida de tu mujer . . . 30

JOSÉ. Estuviste algo brutal . . .

MARTA. ¡Hay que ser así con ella!

(EL PADRE *coge la mano de* MARTA *y se deja caer en el sillón, exánime.*[86] MARTA *le besa en la frente y se enjuga*[87] *los ojos. Al poco rato,* MARÍA *le toca la otra mano, la siente fría.*) 35

[83] **regazo** lap.
[84] **que es** that this means.
[85] **el último** *i.e.,* **consuelo** *or* **favor.**

[86] **exánime** lifeless.
[87] **enjugar** to dry; to wipe.

MARÍA. ¡Oh, fría, fría! . . . Ha muerto . . . ¡Padre! ¡Padre! No me oye . . . ni me ve . . . ¡Padre! ¡Hijo, voy,[88] no llores! . . . ¡Padre! . . . ¡La venda, la venda otra vez! ¡No quiero volver a ver!

EXERCISES *La venda* (*cuadro primero*)

I. *Cuestionario.*

1. ¿Sobre qué disputan don Pedro y don Juan?
2. ¿Para qué sirve el diálogo entre los dos hombres?
3. ¿Quién se acerca a los dos señores? Describa Vd. esta persona.
4. ¿Qué hace ella con un pañuelo?
5. ¿Por qué cree don Pedro que María está loca?
6. Señora Eugenia dice que María está ciega. ¿Es verdad?
7. ¿Qué es un forastero?
8. ¿Cómo recobró María la vista?
9. Así que cobró la vista, ¿qué fue lo primero que hizo?
10. ¿A dónde va María? ¿Por qué?

II. *Fill in the blanks in the sentences below with an appropriate word from the following list.*

camino	vendar	morir
médico	tapar	barrio
forastero	ciego	extranjero
conocer	bastón	bendito

1. María pide a los hombres un _____.
2. Estoy perdida. ¿Cuál es el _____?
3. Me _____ los ojos para mejor ver el camino.
4. Quiero ver a mi padre antes que se _____.
5. Su padre vive en un _____ de las afueras.
6. No soy de la ciudad; soy _____.
7. Mi señora no está _____; lo estaba.
8. Hace un mes vino un _____ que le operó y le hizo ver.
9. María está aprendiendo a ver y a _____ las cosas.
10. Bien merece la vista. ¡_____ sea Dios!

[88] **voy** I'm coming.

III.

A.   *Substitute for* creer, *in the following command, the verbs in parentheses. Then give the forms in the negative:* créemelo (decir, mandar, poner, dar, escribir).

B.   *Give the appropriate form of the verb in parentheses.*

1. Nada se perdería aunque ellas no (*ver*).
2. Su padre mandó que María (*quitarse*) la venda.
3. ¡Dios se la (*conservar*)!
4. Cuando (*volver*), le llenó de besos.
5. Mi señora quería que la (*acompañar*) yo.
6. Quiero verle antes que (*irse*).

C.   *Offer original sentences in Spanish using the following idioms.*

tener razón	volver a + *infinitive*
a pesar de	lo de *or* eso de
haber de + *infinitive*	empeñarse en

IV.   *Translate the following sentences into Spanish.*

1. Tell me, good woman, why do you cover your eyes?
2. She must be mad.
3. The doctor ordered her not to go out into the street.
4. In spite of her blindness [*ceguera*], she knows the whole city better than I.
5. I don't understand this matter of the bandage.
6. She insists on seeing her father before he dies.
7. One lives for truth.
8. The best thing is that she can now see her child.

EXERCISES   *La venda* (*cuadro segundo*)

I.   *Cuestionario*

1. ¿Cómo trata Marta a su padre?
2. ¿Qué piensa el padre del médico?
3. ¿Es María "tan juiciosa" como Marta?
4. ¿Tiene el viejo la misma fe en la ciencia que Marta?
5. ¿Por qué no quiere Marta que venga María a casa del padre?

6. ¿Cómo indica Unamuno estilísticamente [*stylistically*] que la relación entre el padre y María es más estrecha que la de él y Marta?

7. ¿Por qué no se ha quitado María la venda?

8. ¿Qué fue el padre para María?

9. ¿Qué es la mejor medicina para el padre?

10. ¿Es envidiosa Marta?

11. ¿Cuál es la mayor preocupación del padre por su nietecillo?

12. ¿Quién le quita a María la venda?

13. ¿Es lógico que sea esta persona quien lo hace?

14. Al morirse su padre, ¿quiere María volver a ver?

II. *Translate the words in parentheses into Spanish.*

1. No quiere ir (*with me*).

2. El padre quiere más (*Mary*), (*whose*) ceguera fue la espina de su corazón.

3. Esas son aprensiones, nada (*but*) aprensiones.

4. Mi marido no vuelve porque tiene mucho (*to do*).

5. No tengo hijo, pero ahí está (*my sister's*).

6. Que se muera sin saberlo, (*which*) no es morir.

7. Éste es mi padre, (*the one who*) me enseñó a ver (*that which is invisible*).

8. Tus ojos fueron (*mine*).

9. ¡(*What a*) niño tan hermoso!

10. Hice (*the same thing*) con mi padre.

III. *Select the appropriate verb form in parentheses.*

1. Dios me ha concedido que María (*cobra, cobre, cobrase*) la vista.

2. Parece como si usted me (*inculpara, inculpe*) nuestra falta de hijos.

3. La verá usted cuando (*se pone, se ponga, se pondrá*) mejor.

4. No se debe despertar a los niños cuando (*duermen, duerman*).

5. El médico dice que cuando menos lo (*pensamos, pensemos, pensábamos*) se nos quedará muerto.

6. A ver al padre antes que (*se muera, se muere, morirse*).

7. Si (*está, esté, estuviese*) el niño aquí, tráemelo.

8. Quiero tener antes de (*me muera, me muere, morirme*) el consuelo de ver a mi hija.

9. Si (*viese, veía, vería*) al chiquillo aquí, resistiría para algún tiempo más.

10. No toques al niño; déjale que (*dormir, duerma, duerme*).

IV. *Substitute object pronouns for the nouns in the following sentences.*

Recall that the indirect precedes the direct object pronoun, and that when two third person pronouns come together, the indirect (le, les) becomes se.

1. Quieren quitar a María la venda.
2. No me traiga al niño.
3. Siempre digo la verdad a mis padres.
4. Déle a él el bastón.
5. Está enseñando el coche a su hijo.
6. No, padre, no me quito la venda.

V. *Review the following idioms, and translate the sentences below.*

Hacer caso a   ¿qué hay?
dar guerra   muy de mañana

1. My husband left very early.
2. I doubt that he will return tonight.
3. He has too much to do.
4. Did you call me? What's the matter?
5. He says that he is going to die, but don't mind him.
6. I know that I have been troublesome to you.

Camilo José Cela
1916 ∎

In 1942, post-Civil War Spanish letters received a badly needed shot in the arm with the appearance of a "tremendous" novel, *La familia de Pascual Duarte,* by a young writer named Camilo José Cela, born in Galicia in 1916. Today he is generally acknowledged to be Spain's foremost novelist. The harshly realistic story of Pascual Duarte, narrated in the first person, established the controversial reputation of its author as well as the vogue of the *tremendista* novel: realism characterized by physical and spiritual violence, directness of style, and such common themes as anguish, despair, pessimism, loneliness.

Since then, Cela has written excellent books of short stories, lyrical accounts of his many travels throughout Spain, and other novels, the most prominent of which is *La colmena* (The Hive), 1951. Imitating a technique used by others (e.g., John Dos Passos), Cela presents his bitter "slice of life" in a series of short but powerfully precise vignettes, or candid-camera shots. In spite of the fact that both of these novels were originally censored in Spain and created enemies as well as admirers for him, Cela was elected to the Spanish Academy of Letters in 1957.

A kind of *enfant terrible* of contemporary Spanish literature, Cela is aggressive, egotistic, experimental, independent. His individualism and the boldness and vigor of his style remind us very much of Pío Baroja, whom he greatly admired. "De Baroja, de quien tanto aprendí, he recibido la última y más saludable lección: la de la humildad humilde, que es la más noble y difícil . . ." Cela's language and characters are not restricted by convention; indeed, he does not hesitate to bend reality to caricature and the grotesque. His humor is ironic. His tone is often mocking, sometimes bitter, but not without compassion. No one work can capture the whole of this brilliant writer, but a part of him is evident in the two short stories that follow.

Don Elías Neftalí Sánchez, mecanógrafo [1]

Don Elías Neftalí Sánchez, en realidad no tan sólo mecanógrafo, sino Jefe de Negociado de tercera [2] del Ministerio de Finanzas [3] de no recuerdo cuál república, estuvo [4] otro día a verme en casa.

—¿Está [5] el señor?

—¿De parte de quién? [6]   5

—Del señor Elías Neftalí Sánchez, escritor y mecanógrafo.

—Pase, tenga la bondad.

A don Elías lo pasaron al despacho. Yo estaba en la cama copiando a máquina [7] una novela. La máquina estaba colocada sobre una mesa de cama, en equilibrio inestable; [8] las cuartillas extendi-   10
das sobre la colcha,[9] y los últimos libros consultados, abiertos sobre las sillas o sobre la alfombra.

Dos golpecitos sobre la puerta.

—Pase.

La criada, con el delantal a la espalda [10]—quizá no estuviera   15
demasiado limpio—, asomó medio cuerpo.[11]

—El señor Elías, señorito; ese que es escritor.

En sus palabras se adivinaba [12] un desprecio absoluto hacia la profesión.

—Que pase.   20

Al poco tiempo, don Elías Neftalí Sánchez, moreno, bigotudo,[13] del orden y de los postulados de la revolución francesa, poeta simbolista—tan simbolista como si fuera duque—, quizá judío,[14] semioriginal [15] y melífluo, se sentaba a los pies de mi cama.

—Con que [16] escribiendo, ¿eh?   25

—Pues, sí; eso parece.

—Algún selecto y exquisito artículo, ¿eh?

[1] **mecanógrafo** typist.

[2] **Jefe de Negociado de tercera** third-class bureau chief.

[3] **Ministerio de Finanzas** Treasury Department.

[4] **estuvo** *translate* came.

[5] **Está** *i.e.,* at home.

[6] **¿De parte de quién?** Who shall I say is calling?

[7] **copiando a máquina** typing.

[8] **en equilibrio inestable** unsteady.

[9] **colcha** quilt, cover.

[10] **espalda** back.

[11] **asomó medio cuerpo** leaned into the room.

[12] **se adivinaba** one could detect.

[13] **bigotudo** having a mustache (*bigote*).

[14] **judío** Jew, Jewish.

[15] **semioriginal** not very original.

[16] **Con que . . .** So (*you are writing*).

—Psch . . . Regular . . .

—Alguna deliciosa y alada [17] narración, ¿eh?

—Ya ve . . .

—Algún encantador poemita, ¿eh?

—Sí . . . , no . . .

—Algún dulce y emotivo trozo,[18] ¿eh?

—Oiga, don Elías, ¿quiere usted mirar para otro lado,[19] que me voy a levantar?

Me levanté, me vestí, cogí al señor Sánchez de un brazo y nos marchamos a la calle.

—¡Hombre, amigazo! [20] ¿Nos [21] tomamos dos copas? [22]

—Bueno.

Nos las tomamos.

—¿Otras dos?

—Bueno.

Nos las volvimos a tomar. Pagué y salimos a la calle, a dar vueltas por el pueblo como canes [23] abandonados, como meditativos niños errabundos.

—¿Y usted sigue escribiendo a máquina con un solo dedo?

—Sí señor. ¿Para qué voy a usar los otros?

Don Elías me informó—¡cuántas veces llevamos ya,[24] Dios mío! —de las ventajas de un método que él había inventado para escribir a máquina; me pintó con las más claras luces y los más vivos colores las dichas del progreso y de la civilización; aprovechó la ocasión para echar su cuarto a espadas en pro de [25] los eternos postulados de Libertad, Igualdad, Fraternidad (bien entendidas,[26] claro, porque don Elías—nadie sabe por qué lejano e ignoto escarmiento [27]— tenía la virtud de curarse en sano [28]; siguió hablándome de las virtudes de la alimentación exclusivamente vegetal, de las pro-

---

[17] **alada**   winged.

[18] **trozo**   piece (*here, literary*).

[19] **mirar para otro lado**   turn away.

[20] **amigazo**   old pal (*said ironically*).

[21] **Nos**   *Indirect object:* for ourselves. *Omit in translation.*

[22] **copas**   drinks.

[23] **canes**   dogs.

[24] **llevamos ya**   *Translate* have I heard all this.

[25] **echar su cuarto a espadas en pro de**   to intervene; to speak out in favor of.

[26] **bien entendidas**   very understandable, comprehensible.

[27] **ignoto escarmiento**   unknown caution.

[28] **tenía la virtud de curarse en sano**   had the good sense to talk in down-to-earth terms.

piedades de los rayos solares y de la gimnasia sueca [29] para la curación de las enfermedades; de las ganancias que a la Humanidad
reportaría [30] el empleo del idioma común . . .

Yo entré en una farmacia a comprar un tubo de pastillas contra [31]
el dolor de cabeza.   5

—¿Tiene usted jaqueca,[32] mi buen amigo?

—Regular . . .

—Luego yo le dejo, amigo, que no quiero serle molesto.

Cuando don Elías Neftalí Sánchez, en realidad, no tan sólo mecanógrafo, sino Jefe de Negociado de tercera del Ministerio de Fi-   10
nanzas de no recuerdo cuál república, me abandonó a mis fuerzas,[33]
un mundo de esperanzas se abrió ante mis ojos.

Sus últimas palabras, ya mano sobre mano,[34] fueron dignas del
bronce.[35]

—¿Ve usted todos mis títulos? Pues todos los desprecio. Como   15
siempre al despedirme: Elías Neftalí Sánchez, escritor y mecanógrafo para servirle. Es mi mayor timbre [36] de gloria.

Cuando volví a mi casa aquella noche, abatido y desazonado,[37]
me tiré sobre una butaca y llamé a la criada.

—Si viene don Elías Neftalí Sánchez le dice [38] que me he muerto. 20
¿Entendido?

—Sí, señorito.

—A ver: repita.

—Si viene don Elías Neftalí Sánchez le digo que se ha muerto
usted.   25

—Eso. No lo olvide, por lo que más quiera.[39]

Pasaron algunos días, y una mañana vi en el periódico la siguiente esquela: [40]

---

[29] **gimnasia sueca** Swedish gymnas-
tics; *i.e., without any apparatus
such as parallel bars, etc.*

[30] **reportaría** would bring; *subject is
el empleo.*

[31] **tubo de pastillas contra** box of
tablets for.

[32] **jaqueca** migraine headache.

[33] **a mis fuerzas** on my own, alone.

[34] **ya mano sobre mano** as we were
parting.

[35] **dignas del bronce** worthy of
being preserved.

[36] **timbre** seal.

[37] **desazonado** cross, ill-humored.

[38] **le dice** you are to tell him.

[39] **por lo que más quiera** on your
life.

[40] **esquela** obituary notice.

DON ELÍAS NEFTALÍ SÁNCHEZ
Ha muerto
Descanse en paz.

Así lo quiera el Señor. Descanse en paz don Elías ahora que los que le sobrevivimos [41] tan en paz hemos quedado.[42]

La vida es una paradoja, como decía don Elías. Una inexplicable paradoja.

EXERCISES *Don Elías Neftalí Sánchez, mecanógrafo*

I. *Cuestionario*

1. ¿Dónde está el narrador al principio de esta historia? ¿Qué hace?
2. ¿A dónde van los dos hombres?
3. ¿Qué tipo de hombre es don Elías?
4. ¿Cuáles son algunas de sus ideas sobre la salud?
5. ¿Cómo logra el narrador librarse de don Elías?
6. Cuando el narrador vuelve a su casa, ¿qué orden le da a su criada?
7. ¿Por qué no vuelve don Elías otra vez?
8. ¿Cuál es el tono de esta historia? ¿Es trágica la muerte de don Elías? ¿Por qué?

II. *In the following sentences, give the appropriate form of the verbs in parentheses.*

1. Yo (*levantarse*) y (*coger*) al señor Sánchez de un brazo.
2. En las palabras de la criada (*adivinarse*) un desprecio absoluto hacia la profesión.
3. Yo (*estar*) en la cama copiando a máquina una novela.
4. —El señor Elías, señorito.
   —Que (*pasar*).
5. Cuando don Elías se despidió de mí, un mundo de esperanzas (*abrirse*) ante mis ojos.
6. —Luego, yo le (*dejar*), amigo, que no quiero serle molesto.
7. Don Elías siguió (*hablar*) de varias cosas.
8. Cuando volví a mi casa aquella noche, (*tirarse*) sobre una butaca.

---

[41] **sobrevivir** to survive.

[42] **tan en paz hemos quedado** are now so peaceful.

III. *Translate the following sentences into Spanish.*

1. When someone has died, one says: May he rest in peace.
2. He took leave of me, and I continued typing my novel.
3. Don Elías spoke in favor of I don't know what kind [*clase*] of progress.
4. After having a drink, we strolled around the town.
5. He is not a writer but a typist.
6. Have him come in.
7. He went in a drugstore to buy something for his headache.
8. If that man comes again, tell him I have died.

Claudito, el espantapájaros [1]

(*novela*)

NOTA

Por un error puramente casual, esta novela apareció anunciada, en su primera edición, de una manera distinta a [2] la verdadera. Donde se leía: "Don Abundio y el espantapájaros" debiera haberse leído,[3] como hoy se lee: "Claudito, el espantapájaros," que es el título originario y primitivo de esta dulce historia de Navidad,[4]   5
concebida para ser comentada al amor de la lumbre.[5]

Don Abundio es un tío de nuestro personaje; pero esta razón no puede considerarse como suficiente para llevar su nombre a la cabecera [6] de este trabajito. Hombre desleal,[7] de pocos amigos y que no nos inspira ninguna confianza, no queremos contribuir a darle   10
aire,[8] y, a pesar del anuncio, retiramos su nombre del título. Claudito, en cambio, ya es otro cantar.[9] Claudito es un tonto crecido
. . .[10]

---

[1] **espantapájaros** scarecrow.
[2] **distinta a** different from.
[3] **debiera haberse leído** it should have read.
[4] **Navidad** Christmas.
[5] **al amor de la lumbre** by the fireside.

[6] **cabecera** beginning, head (*cf. cabeza*).
[7] **desleal** disloyal, traitorous.
[8] **aire** *here,* importance, prestige.
[9] **otro cantar** another story, horse of a different color.
[10] **crecido** full-fledged.

Capítulo I

Era la Nochebuena.[11] Sobre el paisaje nevado,[12] Claudito, que era un tonto crecido y con cara de mirlo,[13] se dedicaba a pasear, para arriba y para abajo,[14] tocando en su ocarina los tristes, los amargos valses de las fiestas de familia,[15] esas fiestas presididas [16] siempre por el pertinaz recuerdo de aquel hijo muerto en la flor de   5
su juventud.

Claudito, calado hasta los huesos [17] y con una gota color marfil colgada de la nariz, soplaba [18] en su ocarina el *Good night* o el *Vals de las velas,* mientras sus manos, rojas de sabañones [19] malvolaban [20] sobre los agujeritos [21] por donde salían las notas y el viento.   10

Detrás de los visillos [22] Clementina, su viejo y platónico amor, lloraba furtivas lágrimas de compasión.

Capítulo II

Don Abundio Hodgson (esta historia no es española, sino neworleansiana), el padre de Clementina y tío carnal [23] de Claudito, sorprendió el amoroso espiar [24] de la hija.   15

—Pero Clementina, ¡a tus años!

—¡Papá!

—Sí hija, yo soy tu papá, aunque tu abuelito siempre decía que no había más nietos seguros que los hijos de las hijas. ¿Por qué me das estos disgustos? Yo creo, hija mía, que no me merezco este   20
despiadado [25] trato. ¿Por qué no dejas de mirar ya para [26] Claudito?

Clementina suspiró, mientras arreciaba [27] la nevada y el soplar del primo tonto.

—Es que el corazón . . .

[11] **Nochebuena**   Christmas Eve.

[12] **nevado**   snow-covered.

[13] **mirlo**   blackbird.

[14] **para arriba y para abajo**   up and down.

[15] **fiestas de familia**   family get-togethers.

[16] **presididas**   governed, overshadowed.

[17] **calado hasta los huesos**   soaked to the skin.

[18] **soplar**   to blow.

[19] **sabañones**   chilblain.

[20] **malvolaban**   moved clumsily.

[21] **agujeritos**   little holes (*of the ocarina*).

[22] **visillos**   curtains.

[23] **tío carnal**   "blood" uncle.

[24] **espiar**   to spy; *with el*   spying.

[25] **despiadado**   cruel.

[26] **mirar para**   concern yourself with.

[27] **arreciaba**   grew stronger.

—Sí, Clementina; ya lo sé. Pero dominando los locos raptos [28] del corazón deben prevalecer siempre los convenientes raciocinios [29] del cerebro.

Clementina estaba ahogada por el llanto.

—Ya me hago cargo,[30] papá; pero . . .

—Pero, ¿qué, hijita? ¿Qué duda puede aún caber [31] en esta cabecita loca?

Don Abundio Hodgson, propietario del restorán "La digestiva Lubina Cuáquera",[32] cambió el tono de su voz:

—Y además, hija, ¿tú no sabes que los hijos de primos—Clementina, con las mejillas arreboladas,[33] bajó la vista—tú no sabes que los hijos de primos, aunque ninguno de los dos sea tonto, suelen [34] salir algo tontos?

Capítulo III

"Mi muy querido e imposible corazón:

"Renuncio a ser tuya jamás.[35] Sé bien que esta decisión me puede acarrear [36] la muerte, pero no me importa: a todo estoy decidida. Debo sacrificarme y lo hago. No me pidas que te explique nada: no podría hacerlo. Reza por mí. Adiós vida. Adiós, buenas tardes. Que la vida te colme [37] de dichas. Que seas muy feliz sin mí. Si no soy tuya, te juro que tampoco seré de nadie. Recuerda siempre a tu desgraciada,

Clementina"

—¡Qué tía! [38]—exclamó Claudito—. ¡Qué cartas escribe! ¡Y parecía tonta!

[28] **rapto**   rapture, ecstasy.
[29] **convenientes raciocinios**   beneficial reasoning.
[30] **hacerse cargo**   to realize; to take into consideration.
[31] **caber**   *here,* to remain; to be.
[32] **"La digestiva Lubina Cuáquera"**   "The Quaker Haddock Café."
[33] **mejillas arreboladas**   red cheeks, blushing.
[34] **suelen**   (*from* **soler**) are wont to, usually.
[35] **jamás**   forever.
[36] **acarrear**   to cause.
[37] **Que . . . colme**   (*subjunctive*) May . . . fill.
[38] **tía**   woman.

Capítulo IV

Por el campo cubierto por el blanco sudario [39] de la nieve, etc., Claudito echó a andar en compañía de su ocarina.

Llegado que hubo [40] a una pradera . . . Vamos,[41] queremos decir: en cuanto llegó a una pradera se puso en pie,[42] como una cigüeña,[43] y se dijo: "Los pajarillos del cielo vendrán a reconfortar mis flacos ánimos." [44]

Pero los pajarillos del cielo, al verlo, echaron a volar despavoridos.

—¡Un espantapájaros mecánico!—se decían unos a otros los pajarillos de New Orleáns—. ¡Un espantapájaros filarmónico!

Capítulo V

Claudito, el Espantapájaros, fue durante unos días el héroe local de su pueblo.

—Pero, ¡hombre, Claudito! ¿Cómo se te ocurrió [45] ir a tocarles el *Good night* a los gorriones?

—Pues, ¡ya ves! . . .

—Pero, ¡y no tenías frío?

—Sí, algo . . .

—¡Claro, hombre, claro! Oye: nos han dicho que te cogieron tieso [46] sobre una pata, como las grullas.[47] ¿Es verdad eso?

—Pues sí . . .

—¿Y por qué te pusiste sobre una pata?

—Pues, ¡ya ves! . . .

Clementina, en el fondo de su corazón, estaba orgullosa del proceder [48] de Claudito.

Fuera, la nieve caía mansamente.

---

[39] **sudario** shroud.
[40] **Llegado que hubo** Arrived as he had (*in mock imitation of an older style, such as that of the pastoral novel and love poetry*).
[41] **Vamos** Well; all right.
[42] **ponerse en pie** to stand up (*here, on one foot*).
[43] **cigüeña** stork.
[44] **flacos ánimos** weak spirits.
[45] **¿Cómo se te ocurrió?** How did you get the idea?
[46] **te cogieron tieso** they found you stiff.
[47] **grullas** cranes.
[48] **proceder** the action.

EXERCISES *Claudito, el espantapájaros*

I. *Cuestionario.*

1. ¿Por qué retiró el autor el nombre de don Abundio del título?
2. ¿Dónde tiene lugar esta historia?
3. ¿Qué clase de música tocaba Claudito en su ocarina?
4. ¿Qué disgustos le da Clementina a su padre?
5. ¿Por qué decidió Clementina escribir la carta?
6. ¿Qué hizo Claudito al llegar a una pradera?
7. ¿Por qué no vinieron los pajarillos del cielo?
8. ¿Qué impresión le dan a Vd. expresiones como éstas: "un espanta-pájaros filarmónico," "te cogieron tieso sobre una pata," "esta dulce historia de Navidad"? ¿Humor? ¿Ironía? ¿Caricatura?

II. *Give the diminutives of the following nouns, and use them in simple sentences.*

cabeza	hija
trabajo	pájaro
abuelo	agujero

III. *Indicate whether the following statements are true or false.*

1. Según don Abundio, los hijos de primos suelen salir algo tontos.
2. Clementina jura que si no es de Claudito, tampoco será de nadie.
3. Claudito se dedicaba a tocar valses alegres para Clementina.
4. Don Abundio es un hombre leal, y que nos inspira confianza.
5. Claudito toca la ocarina en la orquesta filarmónica de New Orleáns.
6. Clementina nunca dejó de querer a Claudito.

IV. *Note and review the following.*

A. *All the verbs in* Capítulo I *are in the imperfect tense, and all but one in* Capítulo IV *are in the preterite. What is the difference in usage?*

B. *Idioms:*

echar a + *infinitive*   dejar de + *infinitive*

querer decir	en cambio
tener frío	a pesar de

C. *Translate the following sentences into Spanish.*

1. What a fool! He didn't stop playing his ocarina in spite of the cold night.
2. Clementina, may life be happy for you.
3. On the other hand, the little birds started to fly when they saw Claudito.
4. Do you mean that you were not cold in the meadow?
5. Did you like birds when you were young?
6. My father's father is my grandfather, and I am his grandson.
7. This story is not Spanish but American.
8. Outside, the snow fell quietly.

Ana María Matute
1926 ∎

Together with Camilo José Cela and other young men who have gradually brought the novel back to a place of literary prominence from the retrogression of the 1930's, a relatively large number of women writers, such as Ana María Matute, Carmen Laforet, Elena Quiroga, Dolores Medio, and Carmen Martín Gaite, have also been making noteworthy contributions. This is significant in view of the fact that there have been very few women novelists in the history of Spanish literature.

Ana María Matute is a native of Barcelona and currently lives in a town just south of that city. She began to write at a very early age, finishing her first novel *Pequeño teatro* (third in publication), when she was only seventeen years old. She first came into prominence at the age of twenty-two with her novel *Los Abel* (1948), which deals with one of her recurrent themes: the ambivalence of love and hate in man's relationship to man. Ana María Matute's literary production is very impressive: to date she has written eight novels and numerous stories, and has been awarded many prizes including the Premio Planeta, the Premio Café Gijón, the Premio Nacional de Literatura, the Premio Nadal (*Primera memoria,* 1960), and in 1965 the Premio Lazarillo for her books about children.

A woman of extraordinary sensitivity, deeply intuitive, Ana María Matute seeks and finds in her works the image of her own spiritual reality. Tenderness, death, grief are the determinant factors of her literary production. She writes with a vigorous, bold, and poetic style. A certain negative and deterministic attitude seems to run through her work, both in the portrayal of man's loneliness and in the numerous stories she has written about children. The tragic atmosphere of many of these stories is often mitigated by the sensitive understanding of child psychology and the poetic treatment of the theme, which we find in the story *El árbol de oro* (from her collection *Historias de la Artámila,* 1961). From her latest book of stories, *El arrepentido* (1967), we have chosen the story of the same name. It is an admirable example of the author's style and character portrayal.

El arrepentido [1]

El café era estrecho y oscuro. La fachada principal [2] daba a [3] la carretera y la posterior a la playa. La puerta que se abría a la playa estaba cubierta por una cortina de cañuelas, [4] bamboleada [5] por la brisa. A cada impulso sonaba un diminuto crujido, [6] como de un pequeño entrechocar de huesos. [7]

Tomeu el Viejo estaba sentado en el quicio [8] de la puerta. Entre las manos acariciaba lentamente una petaca de cuero [9] negro, muy gastada. Miraba hacia más allá de la arena, hacia la bahía. Se oía el ruido del motor de una barcaza [10] y el coletazo [11] de las olas contra las rocas. Una lancha vieja, cubierta por una lona, [12] se mecía blandamente, amarrada [13] a la playa.

—Así que es eso [14]—dijo Tomeu, pensativo. Sus palabras eran lentas y parecían caer delante de él, como piedras. Levantó los ojos y miró a Ruti.

Ruti era un hombre joven, delgado y con gafas. Tenía ojos azules, inocentes, tras los cristales.

—Así es—contestó. Y miró al suelo.

Tomeu escarbó [15] en el fondo de la petaca, con sus dedos anchos y oscuros. Aplastó una brizna [16] de tabaco entre las yemas de los dedos [17] y de nuevo habló, mirando hacia el mar:

—¿Cuánto tiempo me das?

Ruti carraspeó: [18]

—No sé . . . a ciencia cierta, [19] no puede decirse así. Vamos: quiero decir, no es infalible.

—Vamos, Ruti. Ya me conoces: dilo.

Ruti se puso encarnado. Parecía que le temblaban los labios.

—Un mes . . . , acaso dos . . .

---

[1] **arrepentido**   the repentant man.
[2] **fachada principal**   the main part in front.
[3] **dar a**   to look out on, to face.
[4] **cañuela**   fescue grass.
[5] **bambolear**   to swing, sway.
[6] **crujido**   creak.
[7] **entrechocar de huesos**   rattling of bones.
[8] **quicio**   opening (*lit.*, door jam).
[9] **petaca de cuero**   leather tobacco pouch.
[10] **barcaza**   barge.
[11] **coletazo**   lash.
[12] **lona**   canvas.
[13] **amarrar**   to moor, tie up.
[14] **Así que es eso**   So that's the way it is.
[15] **escarbar**   to scratch.
[16] **Aplastó una brizna**   He crushed a hunk.
[17] **yemas de los dedos**   fingertips.
[18] **carraspeó**   said hoarsely.
[19] **a ciencia cierta**   with certainty.

—Está bien, Ruti. Te lo agradezco, ¿sabes? . . . Sí; te lo agradezco mucho. Es mejor así.

Ruti guardó silencio.

—Ruti—dijo Tomeu—. Quiero decirte algo: ya sé que eres escrupuloso, pero quiero decirte algo, Ruti. Yo tengo más dinero del que la gente se figura: ya ves, un pobre hombre, un antiguo pescador, dueño de un cafetucho de camino [20] . . . Pero yo tengo dinero, Ruti. Tengo mucho dinero.

Ruti pareció incómodo. El color rosado de sus mejillas se intensificó:

—Pero, tío . . . , yo . . . ¡no sé por qué me dice esto!

—Tú eres mi único pariente, Ruti—repitió el viejo, mirando ensoñadoramente [21] al mar—. Te he querido mucho.

Ruti pareció conmovido.

—Bien lo sé—dijo—. Bien me lo ha demostrado siempre.

—Volviendo a lo de antes: [22] tengo mucho dinero, Ruti. ¿Sabes? No siempre las cosas son como parecen.

Ruti sonrió. (*Acaso quiere hablarme de sus historias de contrabando. ¿Creerá acaso que no lo sé? ¿Se figura, acaso, que no lo sabe todo el mundo? ¡Tomeu el Viejo! ¡Bastante conocido, en ciertos ambientes! ¿Cómo hubiera podido costearme la carrera de no ser así?* [23]) Ruti sonrió con melancolía. Le puso una mano en el hombro:

—Por favor, tío . . . No hablemos de esto. No, por favor . . . Además, ya he dicho: puedo equivocarme. Sí: es fácil equivocarse. Nunca se sabe . . .

Tomeu se levantó bruscamente. La cálida brisa le agitaba los mechones grises: [24]

—Entra, Ruti. Vamos a tomar una copa juntos.

Apartó con la mano las cañuelas de la cortinilla y Ruti pasó delante de él. El café estaba vacío a aquella hora. Dos moscas se perseguían, con gran zumbido.[25] Tomeu pasó detrás del mostrador y llenó dos copas de coñac. Le ofreció una:

—Bebe, hijo.

[20] **cafetucho de camino**   cheap roadside cafe.
[21] **ensoñadoramente**   nostalgically.
[22] **lo de antes**   what I was just saying.
[23] **¿Cómo hubiera podido . . . así?**   How could he have afforded to pay for my studies if it were not so?
[24] **mechones grises**   gray head of hair.
[25] **zumbido**   buzzing.

Nunca antes le llamó hijo. Ruti parpadeó [26] y dio un sorbito.[27]

—Estoy arrepentido—dijo el viejo, de pronto.

Ruti le miró fijamente.

—Sí—repitió—, estoy arrepentido.

—No le entiendo, tío.

—Quiero decir: mi dinero, no es un dinero limpio. No, no lo es.
Bebió su copa de un sorbo, y se limpió los labios con el revés de
la mano.

—Nada me ha dado más alegría: haberte hecho lo que eres, un
buen médico.

—Nunca lo olvidaré—dijo Ruti, con voz temblorosa. Miraba al
suelo otra vez, indeciso.

—No bajes los ojos, Ruti. No me gusta que desvíen [28] la mirada
cuando yo hablo. Sí, Ruti: estoy contento por eso. ¿Y sabes por
qué?

Ruti guardó silencio.

—Porque gracias a ello tú me has avisado de la muerte. Tú has
podido reconocerme,[29] oír mis quejas, mis dolores, mis temores
. . . Y decirme, por fin: *acaso un mes, o dos.* Sí, Ruti: estoy contento, muy contento.

—Por favor, tío. Se lo ruego. No hable así . . . , todo esto es
doloroso. Olvidémoslo.

—No, no hay por qué olvidarlo. Tú me has avisado y estoy tranquilo. Sí, Ruti: tú no sabes cuánto bien me has hecho.

Ruti apretó la copa entre los dedos y luego la apuró,[30] también
de un trago.

—Tú me conoces bien, Ruti. Tú me conoces muy bien.

Ruti sonrió pálidamente.

El día pasó como otro cualquiera. A eso de las ocho, cuando
volvían los obreros del cemento, el café se llenó. El viejo Tomeu
se portó [31] como todos los días, como si no quisiera amargar las
vacaciones de Ruti, con su flamante título recién estrenado.[32] Ruti
parecía titubeante,[33] triste. Más de una vez vio que le miraba en
silencio.

---

[26] **parpadear**   to blink.
[27] **sorbito**   little sip.
[28] **desviar**   to turn away.
[29] **reconocer**   to examine.
[30] **apurar**   to drain, finish.

[31] **portarse**   to conduct oneself.
[32] **flamante título recién estrenado**
      brand new M.D. recently used.
[33] **titubeante**   shaky.

El día siguiente transcurrió, también, sin novedad. No se volvió a hablar del asunto entre ellos dos. Tomeu más bien parecía alegre. Ruti, en cambio, serio y preocupado.

Pasaron dos días más. Un gran calor se extendía sobre la isla. Ruti daba paseos en barca, bordeando[34] la costa. Su mirada azul, 5 pensativa, vagaba[35] por el ancho cielo. El calor pegajoso[36] le humedecía la camisa, adhiriéndosela al cuerpo.[37] Regresaba pálido, callado. Miraba a Tomeu y respondía brevemente a sus preguntas.

Al tercer día, por la mañana, Tomeu entró en el cuarto de su sobrino y ahijado.[38] El muchacho estaba despierto. 10

—Ruti—dijo suavemente.

Ruti echó mano de sus gafas,[39] apresuradamente. Su mano temblaba:

—¿Qué hay, tío?

Tomeu sonrió. 15

—Nada—dijo—. Salgo, ¿sabes? Quizá tarde[40] algo. No te impacientes.

Ruti palideció:

—Está bien—dijo. Y se echó hacia atrás, sobre la almohada.

—Las gafas, Ruti—dijo Tomeu—. No las rompas. 20

Ruti se las quitó despacio y se quedó mirando al techo. Por la pequeña ventana entraban el aire caliente y el ruido de las olas.

Era ya mediodía cuando bajó al café. La puerta que daba a la carretera estaba cerrada. Por lo visto su tío no tenía intención de atender a la clientela. 25

Ruti se sirvió café. Luego, salió atrás, a la playa. La barca amarrada se balanceaba lentamente.

A eso de las dos vinieron a avisarle. Tomeu se había pegado un tiro,[41] en el camino de la Tura. Debió de hacerlo cuando salió, a primera hora de la mañana. 30

Ruti se mostró muy abatido. Estaba pálido y parecía más miope[42] que nunca.

---

[34] **bordeando** staying close to.
[35] **vagar** to roam, wander.
[36] **pegajoso** sticky.
[37] **adhiriéndosela al cuerpo** making it stick to his body.
[38] **ahijado** godchild.

[39] **echó mano de sus gafas** put on his glasses.
[40] **tarde** *subjunctive of* **tardar.** Perhaps I'll be a little late.
[41] **se había pegado un tiro** had shot himself.
[42] **miope** myopic, nearsighted.

—¿Sabe usted de alguna razón que llevara a su tío a hacer esto?

—No, no puedo comprenderlo . . . , no puedo imaginarlo. Parecía feliz.

Al día siguiente, Ruti recibió una carta. Al ver la letra con su nombre en el sobre,[43] palideció y lo rasgó,[44] con mano temblorosa. Aquella carta debió de echarla su tío al correo antes de suicidarse, al salir de su habitación.

Ruti leyó:

"Querido Ruti: Sé muy bien que no estoy enfermo, porque no sentía ninguno de los dolores que te dije. Después de tu reconocimiento consulté a un médico y quedé completamente convencido. No sé cuánto tiempo habría vivido aún con mi salud envidiable, porque estas cosas, como tú dices bien, no se saben nunca del todo.[45] Tú sabías que si me creía condenado, no esperaría la muerte en la cama, y haría lo que he hecho, a pesar de todo; y que, por fin, me heredarías. Pero te estoy muy agradecido, Ruti, porque yo sabía que mi dinero era sucio, y estaba ya cansado. Cansado y, tal vez, eso que se llama arrepentido. Para que Dios no me lo tenga en cuenta [46]—tú sabes, Ruti, que soy buen creyente a pesar de tantas cosas—, dejo mi dinero a los niños del Asilo." [47]

EXERCISES *El arrepentido*

I. *Cuestionario*

1. ¿Dónde está situado el café de Tomeu el Viejo?
2. ¿Qué hace Tomeu cuando le vemos por primera vez?
3. ¿A quién está hablando?
4. ¿Qué le había avisado Ruti?
5. ¿Había ganado Tomeu su fortuna pescando?
6. ¿Cómo podía Ruti saber que el viejo tenía mucho dinero?
7. ¿Qué toman los dos en el café?
8. ¿Qué efecto tiene la descripción de las dos moscas que se perseguían, con gran zumbido?
9. ¿Por qué dice Tomeu que está arrepentido?

[43] **sobre** envelope.
[44] **lo rasgó** he tore it open.
[45] **del todo** completely.

[46] **no me lo tenga en cuenta** not hold it against me.
[47] **Asilo** asylum, home (*for poor, orphans, etc.*).

10. ¿Qué le debe Ruti al viejo?
11. ¿Tiene miedo Tomeu de morirse?
12. ¿Cómo pasaba Ruti los días de sus vacaciones?
13. ¿Qué le avisaron a Ruti?
14. ¿Qué le hace saber a Ruti la carta?
15. ¿Puede decirse que Tomeu se había vengado? ¿Cómo?
16. ¿Logró el autor engañarnos respecto al final de este cuento?
17. ¿Lo había adivinado usted?

II. *Substitute a word of equivalent meaning from the following list for the italicized portions of the sentences below. Make any necessary changes of syntax or grammar.*

si	volver a	eso
deber de	imaginarse	quizá
equivocarse	examinar	transcurrir

1. Sacó un cigarrillo y *de nuevo* habló.
2. Salgo, ¿sabes? *Acaso* no vuelva.
3. *De no* ser rico mi tío yo nunca hubiera terminado la carrera.
4. Volviendo a *lo* de ayer; ¿cuánto tiempo me das?
5. *Se habrá suicidado* a primera hora de la mañana.
6. El hijo *se figuraba* ser un gran médico.
7. No te preocupes. Puedo *estar en error*.
8. El médico le *reconoció* sin encontrar enfermedad alguna.
9. El día siguiente *pasó* sin novedad.

III. *"Than". Observe the example from the text:*

Yo tengo más dinero del que la gente se figura.

When a noun is the object of comparison in a sentence with two clauses, than *becomes* de *plus the definite article that agrees with the noun plus* que. *When an adjective, an adverb, or a whole idea is being compared,* than *becomes* de lo que.
Example: **Es más inteligente de lo que esperábamos.**
            Sabe más de lo que crees.
Translate the "than" in the sentences below. Use que *or* de *(before numbers) alone where appropriate.*

1. Tomeu es más viejo *than* Ruti.

2. Trabaja más *than* creíamos.
3. Me dio menos cerveza *than* había pedido.
4. Su carrera le costó más *than* diez mil pesetas.
5. Mi hermano es mayor *than* yo.
6. Lee más rápidamente *than* se figura.
7. Tiene más amigos *than* puede invitar.
8. Canta mejor *than* nos habían dicho.
9. Esta iglesia es más grande *than* todas las iglesias de España.
10. Los alumnos entienden más *than* creemos.

IV. *Translate the following sentences.*

1. There is more sand on the beach than you think.
2. The waves [*olas*] of the sea could be heard in the cafe.
3. Where are your eyeglasses? Don't break them.
4. He must be crazy. He killed himself when he wasn't sick.
5. Perhaps he is not dead after all.
6. If he weren't rich [two ways: *si . . .* , and *de no* plus inf.], he couldn't live near the sea.
7. Let's have a drink together.
8. He left all his money to the children of the Asylum.

El árbol de oro

Asistí durante un otoño a la escuela de la señorita Leocadia, en la aldea, porque mi salud no andaba bien y el abuelo retrasó[1] mi vuelta a la ciudad. Como era el tiempo frío y estaban los suelos embarrados[2] y no se veía rastro[3] de muchachos, me aburría dentro de la casa, y pedí al abuelo asistir a la escuela. El abuelo consintió, y acudí[4] a aquella casita alargada y blanca de cal,[5] con el tejado pajizo y requemado[6] por el sol y las nieves, a las afueras del pueblo.

La señorita Leocadia era alta y gruesa,[7] tenía el carácter más

[1] **retrasar** to put off.
[2] **embarrados** muddy.
[3] **rastro** trace.
[4] **acudir** to come.
[5] **cal** lime.
[6] **tejado pajizo y requemado** straw roof parched (by).
[7] **gruesa** heavy set.

bien áspero y grandes juanetes [8] en los pies, que la obligaban a andar como quien arrastra cadenas.[9] Las clases en la escuela, con la lluvia rebotando [10] en el tejado y en los cristales, con las moscas pegajosas [11] de la tormenta persiguiéndose alrededor de la bombilla,[12] tenían su atractivo. Recuerdo especialmente a un muchacho 5
de unos diez años, hijo de un aparcero [13] muy pobre, llamado Ivo. Era un muchacho delgado, de ojos azules, que bizqueaba [14] ligeramente al hablar. Todos los muchachos y muchachas de la escuela admiraban y envidiaban un poco a Ivo, por el don que poseía de atraer la atención sobre sí, en todo momento. No es que fuera ni 10
inteligente ni gracioso, y, sin embargo, había algo en él, en su voz quizás, en las cosas que contaba, que conseguía cautivar [15] a quien le escuchase. También la señorita Leocadia se dejaba prender de aquella red [16] de plata que Ivo tendía a cuantos atendían [17] sus enrevesadas [18] conversaciones, y—yo creo que muchas veces con- 15
tra su voluntad—la señorita Leocadia le confiaba a Ivo tareas deseadas por todos, o distinciones que merecían alumnos más estudiosos y aplicados.

Quizá lo que más se envidiaba de Ivo era la posesión de la codiciada [19] llave de *la torrecita*. Ésta era, en efecto, una pequeña torre 20
situada en un ángulo de la escuela, en cuyo interior se guardaban los libros de lectura. Allí entraba Ivo a buscarlos, y allí volvía a dejarlos, al terminar la clase. La señorita Leocadia se lo encomendó [20] a él, nadie sabía en realidad por qué.

Ivo estaba muy orgulloso de esta distinción, y por nada del 25
mundo la hubiera cedido. Un día, Mateo Heredia, el más aplicado y estudioso de la escuela, pidió encargarse de [21] la tarea—a todos nos fascinaba el misterioso interior de la torrecita, donde no entramos nunca—, y la señorita Leocadia pareció acceder. Pero Ivo se levantó, y acercándose a la maestra empezó a hablarle en su 30

---

[8] **juanete**   bunion.
[9] **cadena**   chain.
[10] **rebotar**   to bounce.
[11] **pegajosas**   sticky.
[12] **bombilla**   light bulb.
[13] **aparcero**   sharecropper.
[14] **bizquear**   to squint; to cross one's eyes.
[15] **cautivar**   to captivate; to win over.

[16] **prender de aquella red**   to be caught in that net.
[17] **atender**   to pay attention to.
[18] **enrevesadas**   complex, intricate.
[19] **codiciar**   to covet.
[20] **encomendar**   to entrust.
[21] **encargarse de**   to take charge of; to be entrusted with.

voz baja, bizqueando los ojos y moviendo mucho las manos, como tenía por costumbre.[22] La maestra dudó un poco, y al fin dijo:

—Quede todo como estaba. Que siga encargándose Ivo de la torrecita.

A la salida de la escuela le pregunté:

—¿Qué le has dicho a la maestra?

Ivo me miró de través [23] y vi relampaguear [24] sus ojos azules.

—Le hablé del árbol de oro.

Sentí una gran curiosidad.

—¿Qué árbol?

Hacía frío y el camino estaba húmedo, con grandes charcos [25] que brillaban al sol pálido de la tarde. Ivo empezó a chapotear [26] en ellos, sonriendo con misterio.

—Si no se lo cuentas a nadie . . .

—Te lo juro, que a nadie se lo diré.

Entonces Ivo me explicó:

—Veo un árbol de oro. Un árbol completamente de oro: ramas, tronco, hojas . . . ¿sabes? Las hojas no se caen nunca. En verano, en invierno, siempre. Resplandece mucho; tanto, que tengo que cerrar los ojos para que no me duelan.

—¡Qué embustero [27] eres!—dije, aunque con algo de zozobra.[28] Ivo me miró con desprecio.

—No te [29] lo creas—contestó—. Me es completamente igual que te lo creas o no . . . ¡Nadie entrará nunca en la torrecita, y a nadie dejaré ver mi árbol de oro! ¡Es mío! La señorita Leocadia lo sabe, y no se atreve a darle la llave a Mateo Heredia, ni a nadie . . . ¡Mientras yo viva, nadie podrá entrar allí y ver mi árbol!

Lo dijo de tal forma que no pude evitar preguntarle:

—¿Y cómo lo ves . . . ?

—Ah, no es fácil—dijo, con aire misterioso—. Cualquiera no podría verlo. Yo sé la rendija [30] exacta.

—¿Rendija? . . .

—Sí, una rendija de la pared. Una que hay corriendo el cajón [31]

---

[22] **como tenía por costumbre**   as was his custom.
[23] **de través**   sidewise.
[24] **relampaguear**   to flash.
[25] **charco**   puddle.
[26] **chapotear**   to splash.

[27] **embustero**   liar.
[28] **zozobra**   anxiety.
[29] **te**   *Omit in translation.*
[30] **rendija**   crack, opening.
[31] **corriendo el cajón**   *here,* behind the desk.

de la derecha: me agacho[32] y me paso horas y horas . . . ¡Cómo brilla el árbol! ¡Cómo brilla! Fíjate[33] que si algún pájaro se le pone encima también se vuelve de oro. Eso me digo yo: si me subiera a una rama, ¿me volvería acaso de oro también?   5

No supe qué decirle, pero, desde aquel momento, mi deseo de ver el árbol creció de tal forma que me desasosegaba.[34] Todos los días, al acabar la clase de lectura, Ivo se acercaba al cajón de la maestra, sacaba la llave y se dirigía a la torrecita. Cuando volvía, le preguntaba: 10

—¿Lo has visto?

—Sí—me contestaba. Y, a veces, explicaba alguna novedad:

—Le han salido unas flores raras. Mira: así de grandes,[35] como mi mano lo menos, y con los pétalos alargados. Me parece que esa flor es parecida al *arzadú*.   15

—¡La flor del frío!—decía yo, con asombro—. ¡Pero el *arzadú* es encarnado![36]

—Muy bien—asentía él, con gesto de paciencia—. Pero en mi árbol es oro puro.

—Además, el *arzadú* crece al borde de los caminos . . . y no es   20 un árbol.

No se podía discutir con él. Siempre tenía razón, o por lo menos lo parecía.

Ocurrió entonces algo que secretamente yo deseaba; me avergonzaba[37] sentirlo, pero así era: Ivo enfermó, y la señorita Leo-   25 cadia encargó a otro la llave de la torrecita. Primeramente, la disfrutó[38] Mateo Heredia. Yo espié su regreso, el primer día, y le dije:

—¿Has visto un árbol de oro?

—¿Qué andas graznando?[39]—me contestó de malos modos, porque   30 no era simpático, y menos conmigo. Quise dárselo a entender,[40] pero no me hizo caso. Unos días después, me dijo:

---

[32] **agacharse**   to crouch; to squat.
[33] **fijarse**   to imagine.
[34] **desasosegar**   to disturb; to torment.
[35] **así de grandes**   this big.
[36] **encarnado**   red.

[37] **avergonzarse**   to be ashamed; to be embarrassed.
[38] **disfrutar**   to enjoy.
[39] **¿Qué andas graznando?**   What are you talking about?
[40] **Quise dárselo a entender**   I tried to make him understand.

—Si me das algo a cambio, te dejo un ratito [41] la llave y vas durante el recreo. Nadie te verá . . .

Vacié mi hucha,[42] y, por fin, conseguí la codiciada llave. Mis manos temblaban de emoción cuando entré en al cuartito de la torre. Allí estaba el cajón. Lo aparté y vi brillar la rendija en la oscuridad. Me agaché y miré.

Cuando la luz dejó de cegarme, mi ojo derecho sólo descubrió una cosa: la seca tierra de la llanura alargándose hacia el cielo. Nada más. Lo mismo que se veía desde las ventanas altas. La tierra desnuda y yerma,[43] y nada más que la tierra. Tuve una gran decepción y la seguridad de que me habían estafado.[44] No sabía cómo ni de qué manera, pero me habían estafado.

Olvidé la llave y el árbol de oro. Antes de que llegaran las nieves regresé a la ciudad.

Dos veranos más tarde volví a las montañas. Un día, pasando por el cementerio—era ya tarde y se anunciaba la noche en el cielo: el sol, como una bola roja, caía a lo lejos, hacia la carrera terrible y sosegada [45] de la llanura—, vi algo extraño. De la tierra grasienta [46] y pedregosa, entre las cruces [47] caídas, nacía un árbol grande y hermoso, con las hojas anchas de oro: encendido y brillante todo él, cegador. Algo me vino a la memoria, como un sueño, y pensé: "Es un árbol de oro." Busqué al pie del árbol, y no tardé en dar con una crucecilla de hierro negro, mohosa [48] por la lluvia. Mientras la enderezaba,[49] leí: IVO MÁRQUEZ, DE DIEZ AÑOS DE EDAD.

Y no daba tristeza alguna, sino, tal vez, una extraña y muy grande alegría.

EXERCISES   *El árbol de oro*

I. *Cuestionario.*

1. ¿Dónde tiene lugar la historia? ¿Cuándo?
2. ¿Por qué asistió el muchacho a la escuela de la Srta. Leocadia?
3. Describa usted a ésta.

---

[41] **un ratito** (*diminutive of* **rato**) for a little while.
[42] **hucha** bank.
[43] **yerma** deserted.
[44] **estafar** to defraud; to swindle.

[45] **sosegada** calm.
[46] **grasienta** greasy.
[47] **cruces cruz** cross.
[48] **mohosa** rusty.
[49] **enderezar** to straighten.

4. ¿Quién es Ivo? ¿Cómo es?
5. ¿Qué don tenía?
6. ¿Por qué le envidiaban los otros muchachos?
7. ¿Qué pidió Mateo Heredia a la maestra? ¿Accede ella?
8. ¿Cómo es el árbol que ve Ivo? ¿Por dónde lo ve?
9. ¿Por qué tuvo la maestra que encargar la llave a otro?
10. ¿Cómo la consiguió el narrador?
11. ¿Qué ve éste por la rendija?
12. ¿Cómo se siente después?
13. ¿Qué ocurre dos años más tarde?
14. ¿Cómo sabe el muchacho que se ha muerto Ivo?
15. ¿Por qué no le da tristeza alguna la muerte de Ivo?

II. *Translate the verbs in parentheses into Spanish.*

1. (*He asked*) al abuelo asistir a la escuela porque (*he was bored*) dentro de la casa.
2. El abuelo (*consented*).
3. (*I remember*) especialmente a Ivo.
4. (*There was*) algo en él que conseguía cautivar a quien le (*listened*).
5. En la torre (*were kept*) los libros de lectura.
6. (*Approaching*) a la maestra empezó a hablarle en voz baja.
7. (*Let him continue*) encargándose de la torre.
8. Cierro los ojos para que no me (*hurt*) [*doler*].
9. Si (*I got up*) a una rama, ¿me volvería de oro también?
10. Algo me (*came*) a la memoria.

III. *Translate the italicized expressions in the sentences below.*

1. *Quise* dárselo a entender, pero no me *hizo caso.*
2. No tardé en *dar con* una crucecilla de hierro negro.
3. Siempre *tenía razón,* o *por lo menos* lo parecía.
4. A nadie *se lo diré.*
5. *Por nada* del mundo *hubiera cedido* la llave.
6. Cuando la luz *dejó de* cegarme, mi ojo sólo descubrió una cosa.
7. *Lo mismo* que *se veía* desde las ventanas altas.
8. *Hacía tanto frío* en la torrecita que me dolían *los* brazos.
9. Pedí a mi padre *asistir a* la conferencia.
10. Pedí a mi padre que *asistiera a* la conferencia.

IV. *Correct in Spanish the statements which are false.*

1. El cuento tiene lugar en verano.
2. El muchacho vive con su padre.
3. La señorita Leocadia le confiaba a Ivo tareas deseadas por todos.
4. La maestra vive en una torre de marfil.
5. Ivo había robado la llave de la torre.
6. Ivo tenía la costumbre de bisquear los ojos.
7. Ivo es embustero.
8. Los otros alumnos mataron a Ivo bajo un árbol de oro.

V. *Translate the following sentences into Spanish.*

1. Now there is no sadness but great joy.
2. We live in a little house on the outskirts of town.
3. I wouldn't do that for anything in the world.
4. I returned home before the snows came.
5. If I had the key, I would be able to see what he sees.
6. Every day he went to the little room.
7. When I asked him for the key, he refused [use preterite of *querer*, negative] to give it to me.
8. The dry land could be seen in the distance.

Miguel Mihura
1905 ∎

Miguel Mihura is one of the foremost humorists and satirists of the contemporary Spanish theater, and enjoys equal popularity in other European countries. His plays have been produced in Germany, Portugal, and Italy.

Born in Madrid in 1905, Mihura held a variety of jobs before attaining the success he now enjoys. He wrote stories and articles for several newspapers and magazines, and like other writers who could not live solely on their literary endeavors, he wrote a number of film scripts, including a very successful satire on the Marshall Plan for aid to Europe, *Bienvenido, Mr. Marshall.*

It was not until his first play, *Tres sombreros de copa,* was performed in 1952 (written twenty years earlier, however) that Mihura was finally launched on a very successful dramatic career. His comedies are characterized by extravagant, offbeat humor and wild visual effects. The story is usually unimportant.

The selection that follows is from Mihura's *Viaje a la feria de Sevilla.* It is a delightful *cuadro de costumbre* which describes the author's first visit to the most popular of all Spain's fairs. The Seville *feria* consists of a week of gay, colorful, animated celebration, with songs, dances, entertainment, and food to appeal to all tastes and ages. The fair serves also as a market place, outside of the fair grounds, where the inhabitants of the region gather to buy livestock (*ganado*), as well as many other things like tools and utensils. With tongue-in-cheek humor Mihura talks to a horse dealer, and parodies the local·pronunciation and the traditional *sal* of the Andalusians, that quick, gay, exaggerated wit and charm revealed especially in the ready compliments paid to the "fair" sex.

La feria del "ganao" [1]

La misma mañana que llegamos a Sevilla, con un frío de aúpa,[2] vamos a la Feria del Ganado, que está en un campo bastante lejos, como siempre suelen estar los campos para dar la lata.[3] Allí, en aquel campo adornado con gallardetes,[4] hay unos señores con cara de gitanos y unos caballos con cara de señores, que están aburridísimos en unas casetas,[5] esperando que llegue alguien a charlar con ellos. También encerrados en unas empalizadas,[6] hay cerdos, cabras, borregos,[7] burros, mulas y esas cosas que meten tanto ruido con las patas, y que muchos forasteros contemplan con curiosidad, ya que estos objetos no se suelen ver en ningún escaparate[8] de Madrid ni de Barcelona.

Ésta es la Feria del Ganado; a nosotros no nos extraña nada[9] que un señor se ponga a vender un caballo, porque es muy natural que el que tiene un caballo en su casa esté deseando quitárselo de encima[10] o quitárselo de debajo, y nosotros, en su caso, no sólo haríamos lo mismo, sino que hasta pondríamos anuncios en los periódicos para activar la cosa; lo que verdaderamente nos deja sorprendidos es que alguien lo quiera comprar, y, sin embargo, parece ser que aquí, en la Feria de Sevilla, este caso se da[11] con bastante frecuencia.

Como nosotros no tenemos ni la menor idea de lo que puede costar un caballo, se lo preguntamos a un señor que lleva sombrero de ala ancha[12] y que está intentando vender uno en aquel momento.

El señor nos dice que aquello que él vende no es un caballo, sino que es una yegua,[13] y nosotros contestamos que es igual, que

---

[1] "ganao" ganado livestock.
[2] de aúpa intense.
[3] para dar la lata just to make it difficult.
[4] gallardete pennant, streamer.
[5] caseta stall, *usually like a tent, but with the sides open.*
[6] empalizada stockade, fenced area.
[7] cerdos, cabras, borregos hogs, goats, lambs.

[8] escaparate show window.
[9] no nos extraña nada we are not at all surprised.
[10] quitárselo de encima to get it off his shoulders, to get rid of it. *Mihura plays on de encima with de debajo.*
[11] se da occurs.
[12] ala ancha broad brim.
[13] yegua mare.

no reparamos en [14] estas menudencias, y que, sea lo que sea, queremos saber su precio exacto.

—Quince mil pesetas—nos dice el hombre.

A nosotros este precio no nos parece ni caro ni barato, y nos quedamos tan tranquilos, aunque también nos hubiésemos quedado muy tranquilos si nos llega a decir que costaba veintiocho duros,[15] y que en vez de ser una yegua era una vaca.

—¿No será algo caro?—preguntamos de todos modos, por preguntar algo.

El señor del sombrero de ala ancha nos mira como si fuésemos tontos.

—¿Caro? ¿"Dise usté" que caro? ¿"Usté" ha visto bien esta yegua? Haga "usté er favó" [16] de mirarla bien, "compare".[17]

Nos ponemos a mirar bien la yegua por un lado y por otro, y no la encontramos nada de particular. Tiene cuatro patas, una cabeza y una cola; en fin, lo de siempre; lo que estamos tan cansados de ver en las películas del Oeste.[18]

—¿Cómo se llama?—pregunto demostrando en esto gran interés.

—*Pastora*—me contesta.

—Entonces, no me conviene—afirmo en un tono que no admite más discusiones. Y me pongo a mirar a otro bicho que hay por allí cerca.

—¿Y aquella otra yegua?—le digo—. ¿Cuánto vale?

—Aquello es una mula—me corrige de nuevo el señor del sombrero ancho. Y después me dice que cuesta treinta mil pesetas, y que es regalada.[19]

Nos quedamos sorprendidísimos de que una mula valga tanto dinero, y juramos no llamarle mula a ningún compañero de profesión [20] porque se pondría loco de contento.

El vendedor asegura que la mula es regalada, y nos cuenta la historia de la mula, que es una historia andaluza [21] tristísima, y

---

[14] **reparar en**   to notice.
[15] **duro**   *coin worth 5 pesetas.*
[16] **"usté er favó"**   usted el favor.
[17] **"compare"   compadre**   friend.
[18] **películas del Oeste**   Westerns (*movies*).

[19] **regalada**   a bargain.
[20] **compañero de profesión**   colleague.
[21] **andaluza**   Andalusian.

nos convida a una copa de jerez [22] y a una rodajita de salchichón; [23] y entonces nosotros empezamos a tener miedo de que aquel señor nos convenza para que compremos la mula, y nos la envuelva [24] en un papel y lleguemos a nuestra casa de Madrid con una mula, en vez de llegar con medio kilo de yemas [25] de San Leandro, que es lo que nos han encargado.[26]

Para que aquel señor vea que no somos unos pesados [27] de esos que entran en las tiendas a curiosear [28] y no compran nada, le preguntamos:

—¿Y gallinas? ¿Puede usted venderme una gallina en buenas condiciones?

Pero aquel señor no tiene gallinas y se enfada mucho, porque cree que estamos de guasa,[29] cosa muy lejos de la realidad, porque con el frío que hace no hay quien tenga ganas de guasa.

Entonces, una mujer con un canasto,[30] que ha escuchado nuestra conversación, va y le dice al hombre.

—No le haga "usté" caso, "compare", que "e" un "malage" [31] que tiene una cara que "parese" [32] un boquerón.

Como ya es la segunda vez que oímos en Sevilla esto de lo del [33] boquerón, miramos a la mujer para ver si es la misma que le dijo eso al maletero [34] de la estación. Pero no es la misma. En lo único que se le parece es en que lleva un canasto al brazo y una flor colorada en el pelo. Y entonces pensamos que todas las mujeres que llevan un canasto y una flor colorado en el pelo tienen la obligación de decir lo del boquerón o, de lo contrario, las obligan a pagar una fuerte multa.[35]

La feria del ganado se empieza a animar. Llegan al campo unos jóvenes vestidos de chaqueta corta, montados a caballo. También,

---

[22] **jerez**   sherry wine.
[23] **rodajita de salchichón**   pieces of sausage.
[24] **envolver**   to wrap up.
[25] **medio kilo de yemas**   pound of candied egg yolks.
[26] **que es lo que nos han encargado**   which is what they asked us to get.
[27] **pesados**   nuisances.
[28] **curiosear**   to browse around.

[29] **estamos de guasa**   we are kidding him.
[30] **canasto**   basket.
[31] **"e" un "malage"**   he's a trouble-maker.
[32] **"parese" un boquerón**   resembles (parece) an anchovy.
[33] **esto de lo del**   that matter of.
[34] **maletero**   porter. *Mihura refers to his arrival by train in Seville with a friend.*
[35] **fuerte multa**   heavy fine.

en otros caballos, llegan unas señoritas vestidas de amazonas [36] o con los trajes típicos de faralaes.[37] Hay algunas monísimas [38] y, sobre todo, muy morenas, con los ojos muy negros y que se parecen mucho a Juanita Reina. A veces, en el mismo caballo, que también tiene los ojos muy negros, van dos personas, un hombre y una 5 mujer, porque por lo visto [39] son pobres y no tienen dinero para comprar un caballo más. El hombre va sentado en la silla y la mujer detrás, en la grupa,[40] como si fuese sentada en un sofá. De pronto se ven dos amigos de lejos, y, con caballo y todo, se acercan, se saludan y se dan la mano, como si estuvieran en el hall del 10 Palace, y la señorita que va sentada en el sofá le dice al que se ha acercado que por la tarde se verán en el Real [41] de la feria. Y después se despiden, y la señorita se va dando saltos [42] en su sofá.

Tengo sed y me acerco a un puesto de bebidas.[43] Pienso que va a ocurrir esa escena que siempre ocurre en las funciones andaluzas 15 cuando el protagonista tiene sed:

YO. (*Acercándome a la mujer del aguaducho.*[44]) A la "pa e Dio".[45] ¿Hay un vasito de agua fresca "pa" un caminante que muere de "sé"?

ELLA. —Un vasito de agua no se le niega a "naide", marchoso.[46] 20

YO. —(*Bebiendo.*) Como la nieve está, carita de nardo.[47]

ELLA. —En el ventorrillo de Las Azucenas,[48] nunca falta un cantarito de agua como la nieve "pa" un "forastero" que tenga "sé".

Pero no pasa nada de esto. Pasa algo así: 25

YO. —¿Hay cerveza?

---

[36] **amazona** equestrienne, horsewoman.

[37] **faralaes** ruffles, flounces.

[38] **monísimas** very pretty.

[39] **por lo visto** evidently.

[40] **grupa** rump.

[41] **Real** the main Pavilion.

[42] **se va dando saltos** goes off bouncing.

[43] **puesto de bebidas** refreshment stand.

[44] **aguaducho** stand for selling water. *Mihura will parody the traditional wit, charm, gayety,*

and grace of the Andalusian, ever ready with the piropo (compliment).

[45] **"pa e Dio"** paz de Dios. *In next sentence, "pa" is para, and "sé" is sed.*

[46] **"naide", marchoso** nobody (nadie), handsome.

[47] **carita de nardo** beautiful. *Nardo is a little flower found throughout Andalusia.*

[48] **ventorrillo de Las Azucenas** inn of the Lilies.

ELLA. —No, señor. Sólo tenemos manzanilla.[49]

YO. —No me gusta la manzanilla. Déme entonces una "Coca-Cola". ¿Cuánto es?

ELLA. —Siete pesetas.

YO. —Tome usted, carita de contrabandista.[50]

Y me voy hacia el Prado de San Sebastián, en donde están instaladas las casetas de feria. Ya de lejos se oye la música de un tiovivo.[51]

EXERCISES   *La Feria del "Ganao"*

I.   *Cuestionario*

1. ¿Qué están esperando los hombres en sus casetas?
2. ¿Qué se ve en la feria?
3. ¿Le extraña a Mihura que un señor se ponga a vender un caballo?
4. ¿Lo haría Mihura en su caso?
5. ¿Sabe bien el autor el valor de los animales?
6. ¿Qué diferencias hay en la pronunciación del vendedor?
7. ¿Por qué no llamará Mihura mula a ningún compañero de profesión?
8. Según Mihura, ¿por qué les convida el vendedor a una copa de jerez?
9. ¿Por qué se ofrece el autor a comprar gallinas?
10. ¿Qué le llama la mujer con un canasto?
11. ¿Cómo son los jóvenes y las señoritas que llegan a la feria?
12. ¿Qué significa el que dos personas vayan en el mismo caballo?
13. ¿A qué compara Mihura a la mujer que va sentada detrás?
14. ¿Por qué se acerca a un puesto de bebidas?
15. ¿Cuál es la diferencia entre los dos diálogos?
16. Escoja usted ejemplos del humor de Mihura.

II.   *Uses of the subjunctive*

The subjunctive is widely used in this selection, e.g., with verbs of

---

[49] **manzanilla**   pale dry sherry.

[50] **carita de contrabandista**   you robber.

[51] **tiovivo**   merry-go-round.

emotion and other attitudes, with aunque *and* para que, *and when
the antecedent is negative.*
*Give the correct form—tense and mood—of the verbs in parentheses.
Not all will be in the subjunctive.*

1. Los vendedores esperan que (*llegar*) alguien a charlar con ellos.
2. No me extraña que usted (*have not seen*) una feria sevillana.
3. Las recuerdo bien aunque yo (*salir*) de España hace muchos
   años.
4. Compramos algo para que no (*creer*) el vendedor que somos
   unos pesados.
5. No hay quien (*tener*) ganas de comprar una mula por treinta mil
   pesetas.
6. Busqué al vendedor para (*comprar*) dos cerdos.
7. Teníamos miedo de que aquel señor nos (*vender*) la mula.
8. Es verdad que los andaluces (*are*) alegres.
9. No tomo una copa de manzanilla aunque (*I am thirsty*).
10. No sabía que la pronunciación española no (*is*) igual en todas
    partes.

III.   *Two object pronouns. Observe the examples from the text:*

. . . esté deseando quitárselo de encima
. . . se lo preguntamos a un señor

*In the sentences below, use the appropriate direct or indirect object
pronouns to replace the noun objects. Recall that the indirect object
pronoun precedes the direct, and that indirect* le *or* les, *becomes*
se *when used together with the direct object pronouns,* lo, los, la,
las.
Examples: **Juan le compró un regalo a su hermano.**
           Juan se lo compró.

           María me contó un secreto.
           María me lo contó.

1. Regaló las flores a su novia.
2. Me mandó un libro interesante.
3. Devolví el dinero a mi padre.
4. No quiere darnos su permiso.
5. Está vendiendo el ganado a la gente.
6. Haga el favor de mandarle la carta.

7. Déme la mano.
8. No me traiga el sombrero.
9. Cómpreme media docena de huevos.
10. No repitió las frases al profesor.

IV. *Review the following before translating the sentences below.*

no sólo . . . sino que
no es un caballo, sino que es una yegua
¿*Será* algo caro? (*future of probability*)
historia trist*ísima,* señores aburrid*ísimos*
lo único
esto de, lo de   the matter of, this business of

1. The best thing about the fair is the people who come to buy horses and other animals.
2. That matter of compliments [*piropos*] is not found only in Andalusia, but exists in other countries.
3. Italians are probably as gay as Andalusians.
4. Miguel Mihura has written a most *amusing* [*divertido*] picture of customs.
5. I hope that you will be able to visit one of these fairs.
6. The man tried to sell it to him for 15,000 pesetas.
7. I would not only drink sherry, but I would even have a Coke.
8. I am not surprised that the Andalusian girls are dark, with very black eyes.

Miguel Delibes
1920 ■

   Unlike some young writers who never live up to the promise of their good first novels, Miguel Delibes has established himself with each succeeding work as one of the most outstanding men of contemporary Spanish letters. Born in Valladolid, he is at present a professor at the Escuela de Comercio in that city, and editor of the newspaper *El norte de Castilla.*

   When only twenty-seven years old, Delibes made his name nationally known with his first novel, *La sombra del ciprés es alargada,* which won the important Nadal Prize for 1947. Other prizes awarded him have been the Premio Nacional de Literatura and the Premio "Juan March."

   There is an interesting dualism to be noted in the development of Delibes' work. Some of his early novels seemed to indicate that he would follow the path of *tremendismo;* yet, in his third novel, *El camino* (1950), considered by many to be his best, seriousness and pessimism give way to a delightful freshness and naturalness, to gentle humor and human tenderness. His keen delineation of the adolescent character, predominant in *El camino,* is a characteristic of the major part of his production.

   Characteristic, too, is the consummate artistry of his prose. His style is simple and direct, but also poetic. You will discover his skill as a narrator in the intensely human, moving, and sensitive short story that follows.

En una noche así

Yo no sé qué puede hacer un hombre recién salido de la cárcel, en una fría noche de Navidad y con dos duros en el bolsillo. Casi lo mejor si, como en mi caso, se encuentra solo, es ponerse a silbar [1] una banal canción infantil y sentarse al relente [2] del parque a observar cómo pasa la gente y los preparativos de la felicidad de la 5 gente. Porque lo peor no es el estar solo, ni el hiriente [3] frío de la Nochebuena, ni el terminar de salir de la cárcel, sino el encontrarse uno a los treinta años con el hombro izquierdo molido por el reuma,[4] el hígado trastornado,[5] la boca sin una pieza [6] y hecho una dolorosa y total porquería.[7] Y también es mala la soledad, y 10 la conciencia de la felicidad aleteando [8] en torno pero sin decidirse a entrar en uno. Todo eso es malo como es malo el sentimiento de todo ello y como es absurda y torpe [9] la pretensión de reformarse uno de cabo a rabo [10] en una noche como ésta, con el hombro izquierdo molido por el reuma y con un par de duros en el bolsillo. 15

La noche está fría, cargada de nubes grises, que amenazan nieve. Es decir, puede nevar o no nevar, pero que nieve o no nieve no remediará mi reuma, ni mi boca desdentada,[11] ni el horroroso vacío de mi estómago. Por eso fui a donde había música y me encontré a un hombre con la cara envuelta en una hermosa bu- 20 fanda,[12] pero con un traje raído,[13] cayéndosele a pedazos.[14] Estaba sentado en la acera, ante un café brillantemente iluminado y tenía entre las piernas, en el suelo, una boina negra, cargada de monedas de poco valor. Me aproximé a él y me detuve a su lado sin decir palabra, porque el hombre interpretaba en ese momento en su 25 acordeón "El Danubio Azul," y hubiera sido un pecado interrumpirle. Además, yo tenía la sensación de que tocaba para mí, y

[1] **silbar**   to whistle.
[2] **al relente**   in the dampness.
[3] **hiriente**   cutting, biting.
[4] **molido por el reuma**   consumed by rheumatism.
[5] **hígado trastornado**   liver in bad shape.
[6] **pieza**   *here,* tooth.
[7] **hecho . . . porquería**   having become a complete and pitiful mess.

[8] **aletear**   to flutter.
[9] **torpe**   stupid.
[10] **de cabo a rabo**   from head to foot.
[11] **desdentada**   toothless.
[12] **bufanda**   muffler.
[13] **raído**   threadbare.
[14] **caerse a pedazos**   to fall to pieces.

me emocionaba el que [15] un menesteroso [16] tocase para otro menesteroso en una noche como ésa. Y al concluir la hermosa pieza le dije:

—¿Cómo te llamas?

Él me miró con las pupilas semiocultas entre los párpados,[17] como un perro implorando para que no le den puntapiés.[18] Yo le dije de nuevo:

—¿Cómo te llamas?

Él se incorporó y me dijo:

—Llámame Nicolás.

Recogió la gorra,[19] guardó las monedas en el bolsillo y me dijo:

—¿Te parece que vayamos andando? [20]

Y yo sentía que nos necesitábamos el uno al otro, porque en una noche como ésa un hombre necesita de otro hombre y todos [21] del calor de la compañía. Y le dije:

—¿Tienes familia?

Me miró sin decir nada. Yo insistí y dije:

—¿Tienes familia?

Él dijo, al fin:

—No te entiendo. Habla más claro.

Yo entendía que ya estaba lo suficientemente claro, pero le dije:

—¿Estás solo?

Y él me dijo:

—Ahora estoy contigo.

—¿Sabes tocar andando?—le dije yo.

—Sé—me dijo.

Y le pedí que tocara "Esta noche es Nochebuena" mientras caminábamos, y los escasos transeúntes rezagados,[22] nos miraban con un poco de recelo,[23] y yo, mientras Nicolás tocaba, me acordaba de mi hijo muerto y de la Chelo y de dónde andaría la Chelo y de dónde andaría mi hijo muerto. Y cuando concluyó Nicolás, le dije:

—¿Quieres tocar ahora "Quisiera ser tan alto como la luna, ay, ay"?

[15] **el que** the fact that; *keep on the lookout for this throughout the story.*

[16] **menesteroso** needy person.

[17] **párpados** eyelids.

[18] **puntapiés** kicks.

[19] **gorra** cap.

[20] **¿Te . . . andando?** Shall we go?

[21] **todos** *Supply necesitan.*

[22] **transeúntes rezagados** lagging pedestrians.

[23] **recelo** misgiving, suspicion.

Yo hubiera deseado que Nicolás tocase de una manera continua, sin necesidad de que yo se lo pidiera, todas las piezas que despertaban en mí un eco lejano, o un devoto recuerdo, pero Nicolás se interrumpía a cada pieza y yo había de [24] rogarle que tocara otra cosa en su acordeón, y para pedírselo había de volver de mi recuerdo a mi triste realidad actual, y cada incorporación al pasado me costaba un estremecimiento [25] y un gran dolor.

Y así andando, salimos de los barrios [26] céntricos y nos hallamos más a gusto en pleno foco [27] de artesanos y menestrales.[28] Y hacía tanto frío que hasta el resuello [29] del acordeón se congelaba en el aire como un girón [30] de niebla blanquecina. Entonces le dije a Nicolás:

—Vamos ahí dentro. Hará menos frío.

Y entramos en una taberna destartalada,[31] sin público, con una larga mesa de tablas de pino sin cepillar [32] y unos bancos tan largos como la mesa. Hacía bueno allí y Nicolás se recogió la bufanda. Vi entonces que tenía media cara sin forma, con la mandíbula inferior quebrantada [33] y la piel arrugada y recogida [34] en una pavorosa cicatriz.[35] Tampoco tenía ojo en ese lado. Él me vio mirarle y me dijo:

—Me quemé.

Salió el tabernero, que era un hombre enorme, con el cogote [36] recto y casi pelado [37] y un cuello ancho, como de toro. Tenía facciones abultadas [38] y la camisa recogida por encima de los codos. Parecía uno de esos tipos envidiables, que no tienen frío nunca.

—Iba a cerrar—dijo.

Y yo dije:

—Cierra. Estaremos mejor solos.

Él me miró y, luego, miró a Nicolás. Vacilaba. Yo dije:

—Cierra ya. Mi amigo hará música y beberemos. Es Nochebuena.

[24] **yo había de** *Note this strong use of* **haber de,** *having the force of* **tener que.**

[25] **estremecimiento** trembling.

[26] **barrios** areas, quarters.

[27] **foco** core, center.

[28] **menestrales** workmen.

[29] **resuello** breathing.

[30] **girón** strip.

[31] **destartalada** shabby-looking.

[32] **tablas de pino sin cepillar** rough pine boards.

[33] **quebrantar** to break.

[34] **arrugada y recogida** shriveled and drawn.

[35] **cicatriz** scar.

[36] **cogote** back of the neck.

[37] **pelado** bare.

[38] **abultadas** massive.

Dijo Nicolás:

—Tres vasos.

El hombrón,[39] sin decir nada, trancó [40] la puerta, alineó tres vasos en el húmedo mostrador de zinc y los llenó de vino. Apuré [41] el mío y dije:

—Nicolás, toca "Mambrú [42] se fue a la guerra," ¿quieres?

El tabernero hizo un gesto patético. Nicolás se detuvo. Dijo el tabernero:

—No; tocará antes "La última noche que pasé contigo." Fue el último tango que bailé con ella.

Se le ensombreció la mirada de un modo extraño. Y mientras Nicolás tocaba, le dije:

—¿Qué? [43]

Dijo él:

—Murió. Va para tres años.[44]

Llenó las vasos de nuevo y bebimos, y los volvió a llenar y volvimos a beber, y los llenó otra vez y otra vez bebimos; después, sin que yo dijera nada, Nicolás empezó a tocar "Mambrú se fue a la guerra," con mucho sentimiento. Noté que me apretaba la garganta y dije:

—Mi chico cantaba esto cada día.

El tabernero llenó otra vez los vasos y dijo, sorprendido:

—¿Tienes un hijo que sabe cantar?

Yo dije:

—Le tuve.

Él dijo:

—También mi mujer quería un hijo y se me fue sin conseguirlo. Ella era una flor, ¿sabes? Yo no fui bueno con ella y se murió. ¿Por qué será que mueren siempre los mejores?

Nicolás dejó de tocar. Dijo:

—No sé de qué estáis hablando. Cuando la churrera [45] me abrasó la cara la gente bailaba "La morena de mi copla." Es de lo único que me acuerdo.

---

[39] **hombrón** husky fellow.
[40] **trancar** to bar; to bolt.
[41] **apurar** to finish.
[42] **Mambrú** *Corruption of the name of the English general, the Duke of Marlborough.*

[43] **¿Qué?** What happened (to her)?
[44] **Va para tres años** Almost three years ago.
[45] **churrera** woman who makes and sells *churros,* cucumber-shaped fritters.

Bebió otro vaso y tanteó [46] en el acordeón "La morena de mi copla." Luego lo tocó ya formalmente.[47] Volvió a llenar los vasos el tabernero y se acodó en el mostrador. La humedad y el frío del zinc no parecían transmitirse a sus antebrazos desnudos, sólidos como troncos. Yo le miraba a él, y miraba a Nicolás, y miraba al resto del recinto [48] despoblado y entreveía en todo ello un íntimo e inexplicable latido [49] familiar. A Nicolás le brillaba el ojo solitario con unos fulgores extraños. El tabernero dulcificó su dura mirada, y después de beber, dijo:

—Entonces ella no me hacía ni fu ni fa.[50] Parecía como si las cosas pudieran ser de otra manera, y a veces yo la quería y otras veces la maltrataba, pero nunca me parecía que fuera ella nada extraordinario.[51] Y luego, al perderla, me dije: "Ella era una flor." Pero ya la cosa no tenía remedio y a ella la enterraron y el hijo que quería no vino nunca. Así son las cosas.

En tanto duró su discurso, yo me bebí un par de copas; por supuesto, con la mayor inocencia. Yo no buscaba en una noche como ésta la embriaguez,[52] sino la sana y caliente alegría de Dios y un amplio y firme propósito de enmienda. Y la música que Nicolás arrancaba del acordeón estimulaba mis rectos impulsos y me empujaba a amarle a él, a amar al tabernero y a amar a mi hijo muerto y a perdonar a la Chelo su desvío.[53] Y dije:

—Cuando el chico cayó enfermo yo dije a la Chelo que avisara al médico y ella me dijo que un médico costaba [54] diez duros. Y yo dije: "¿Es dinero eso?" Y ella dijo: "Yo no sé si será dinero o no, pero yo no lo tengo." Y yo dije, entonces: "Yo tampoco lo tengo, pero eso no quiere decir que diez duros sean dinero."

Nicolás me taladraba [55] con su ojo único, enloquecido por el vino. Había dejado de tocar y el acordeón pendía desmayado [56] de su cuello, sobre el vientre, como algo frustrado o prematuramente muerto. El instrumento tenía mugre [57] en las orejas y en las notas

---

[46] **tantear**   to try out; to test.
[47] **formalmente**   seriously.
[48] **recinto**   place (*room*).
[49] **latido**   beat.
[50] **no hacer ni fu ni fa**   not to pay attention.
[51] **nada extraordinario**   anything extra.
[52] **embriaguez**   drunkenness.

[53] **desvío**   running away.
[54] **costaba**   *Imperfect, not conditional tense because he is reporting, in indirect discourse, the words of* **la Chelo**.
[55] **taladrar**   to drill; to pierce.
[56] **desmayado**   lifeless.
[57] **mugre**   dirt.

y en los intersticios del fuelle; [58] pero sonaba bien, y lo demás no importaba. Y cuando Nicolás apuró otra copa, le bendije interiormente, porque se me hacía [59] que bebía música y experiencia y disposición para la música. Le dije:

—Toca "Silencio en la noche," si no estás cansado.   5

Pero Nicolás no me hizo caso; quizás no me entendía. Su único ojo adquirió de pronto una expresión ausente. Dijo Nicolás:

—¿Por qué he tenido yo en la vida una suerte tan perra? [60] Un día yo vi en el escaparate [61] de una administración de loterías [62] el número 21 y me dije: "Voy a comprarle; [63] alguna vez ha de tocar 10 el número 21." Pero en ese momento pasó un vecino y me dijo: "¿Qué miras en ese número, Nicolás? La lotería no cae en los números bajos." Y yo pensé: "Tiene razón; nunca cae la lotería en los números bajos." Y no compré el número 21 y compré el 47.234.

Nicolás se detuvo y suspiró. El tabernero miraba a Nicolás con 15 atención concentrada. Dijo:

—¿Cayó, por casualidad, el gordo [64] en el número 21?

A Nicolás le brillaba, como de fiebre, el ojo solitario. Se aclaró la voz con un carraspeo [65] y dijo:

—No sé; pero en el 47.234 no me tocó ni el reintegro.[66] Fue una 20 cochina [67] suerte la mía.

Hubo un silencio y los tres bebimos para olvidar la negra suerte de Nicolás. Después bebimos otra copa para librarnos, en el futuro, de la suerte perra. Entre los tres iba cuajando [68] un casi visible sentimiento de solidaridad. Bruscamente, el tabernero nos 25 volvió la espalda y buscó un nuevo frasco en la estantería.[69] Entonces noté yo debilidad en las rodillas, y dije:

—Estoy cansado; vamos a sentarnos.

Y nos sentamos, Nicolás y yo en el mismo banco y el tabernero, con la mesa por medio, frente a nosotros; y apenas sentados, el 30 tabernero dijo:

---

[58] **intersticios del fuelle**   creases of the bellows.

[59] **se me hacía**   I imagined.

[60] **perra**   hard, bitter.

[61] **escaparate**   (display) window.

[62] **administración de loterías**   *place where lottery tickets are sold.*

[63] **comprarle**   *Note the pronoun* le *instead of* lo.

[64] **el gordo**   first prize.

[65] **carraspeo**   hoarse grunt.

[66] **reintegro**   what I paid for it.

[67] **cochina**   filthy.

[68] **cuajar**   to take shape.

[69] **estantería**   shelf.

—Yo no sé qué tenía aquella chica que las demás no tienen. Era rubia, de ojos azules, y a su tiempo, se movía bien. Era una flor. Ella me decía: "Pepe, tienes que vender la taberna y dedicarte a un oficio más bonito." Y yo le decía: "Sí, encanto." [70] Y ella me decía: "Es posible que entonces tengamos un hijo." Y yo le decía, "Sí, encanto." Y ella decía: "Si tenemos un hijo, quiero que tenga los ojos azules como yo." Y yo le decía: "Sí, encanto." Y ella decía . . . Balbucí [71] yo:

—Mi chico también tenía los ojos azules y yo quería que fuese boxeador. Pero la Chelo se plantó [72] y me dijo que si el chico era boxeador ella se iba.[73] Y yo le dije: "Para entonces ya serás vieja; nadie te querrá." Y ella se echó a llorar. También lloraba cuando el chico se puso malito [74] y yo, aunque no lloraba, sentía un gran dolor aquí. Y la Chelo me echaba en cara el que yo no llorase, pero yo creo que el no llorar deja el sentimiento dentro y eso es peor. Y cuando llamamos al médico, la Chelo volvió a llorar porque no teníamos los diez duros y yo le pregunté: "¿Es dinero eso?" El chico no tenía los ojos azules por entonces, sino pálidos y del color del agua. El médico, al verlo, frunció el morro [75] y dijo: "Hay que operar en seguida." Y yo dije: "Opere." La Chelo me llevó a un rincón y me dijo: "¿Quién va a pagar todo esto? ¿Estás loco?" Yo me enfadé: "¿Quién ha de pagarlo? Yo mismo," dije. Y trajeron una ambulancia y aquella noche yo no me fui a echar la partida,[76] sino que me quedé junto a mi hijo, velándole. Y la Chelo lloraba en un rincón, sin dejarlo un momento.

Hice un alto [77] y bebí un vaso. Fuera sonaban las campanas anunciando la misa del Gallo.[78] Tenían un tañido [79] lejano y opaco aquella noche y Nicolás se incorporó y dijo:

—Hay nieve cerca.

Se aproximó a la ventana, abrió el cuarterón,[80] lo volvió a cerrar y me enfocó su ojo triunfante:

—Está nevando ya—dijo—. No me he equivocado.

---

[70] **encanto**   delight; *translate* darling.
[71] **balbucir**   to stammer.
[72] **se plantó**   balked.
[73] **se iba**   *Compare with note 54.*
[74] **malito**   (*diminutive of malo*) sick.

[75] **frunció el morro**   pursed his lips.
[76] **echar la partida**   to play (*e.g., cards*).
[77] **hacer un alto**   to stop.
[78] **misa del Gallo**   midnight Mass.
[79] **tañido**   sound, tone.
[80] **cuarterón**   shutter.

Y permanecimos callados un rato, como si quisiésemos escuchar desde nuestro encierro el blando posarse [81] de los copos sobre las calles y los tejados. Nicolás volvió a sentarse y el tabernero dijo destemplado: [82]

—¡Haz música!

Nicolás ladeó la cabeza y abrió el fuelle del acordeón en abanico. Comenzó a tocar "Adiós, muchachos, compañeros de mi vida." El tabernero dijo:

—Si ella no se hubiera emperrado [83] en pasar aquel día con su madre, aún estaría aquí, a mi lado. Pero así son las cosas. Nadie sabe lo que está por [84] pasar. También si no hubiera tabernas el chófer estaría sereno y no hubiera ocurrido lo que ocurrió. Pero el chófer tenía que estar borracho y ella tenía que ver a su madre y los dos tenían que coincidir en la esquina precisamente, y nada más. Hay cosas que están escritas y nadie puede alterarlas.

Nicolás interrumpió la pieza. El tabernero le miró airado [85] y dijo:

—¿Quieres tocar de una vez? [86]

—Un momento—dijo Nicolás—. El que yo no comprara el décimo [87] de lotería con el número 21 aquella tarde fue sólo culpa mía y no puede hablarse de mala suerte. Ésta es la verdad. Y si la churrera me quemó es porque yo me puse debajo de la sartén.[88] Bueno. Pero ella estaba encima y lo que ella decía es que lo mismo que [89] me quemó pudo ella coger una pulmonía [90] con el aire del acordeón. Bueno. Todo son pamplinas [91] y ganas de enredar [92] las cosas. Yo le dije: "Nadie ha pescado una pulmonía con el aire de un acordeón, que yo sepa." Y ella me dijo: "Nadie abrasa a otro con el aceite de freír los churros." Yo me enfadé y dije: "¡Caracoles, usted a mí!" [93] Y la churrera dijo: "También pude yo pescar una pulmonía con el aire del acordeón."

[81] **posarse** landing.
[82] **destemplado** irritably.
[83] **emperrarse** to be obstinate; to insist.
[84] **estar por** to be ready to; to be about to.
[85] **airado** angrily.
[86] **de una vez** once and for all.
[87] **décimo** tenth part of a lottery ticket.

[88] **sartén** frying pan.
[89] **lo mismo que** just as; the same as.
[90] **pudo ella coger una pulmonía** she could have caught pneumonia.
[91] **pamplinas** nonsense.
[92] **enredar** to tangle up.
[93] **¡Caracoles, usted a mí!** Darn it! Enough of that!

A Nicolás le brillaba el ojo como si fuese a llorar. Al tabernero parecía fastidiarle el desahogo [94] de Nicolás.

—Toca; hoy es Nochebuena—dijo.

Nicolás sujetó entre sus dedos el instrumento. Preguntó:

—¿Qué toco? 5

El tabernero entornó [95] los ojos, poseído de una acuciante [96] y turbadora nostalgia:

—Toca de nuevo "La última noche que pasé contigo," si no te importa.

Escuchó en silencio los primeros compases [97] como aprobando. 10 Luego dijo:

—Cuando bailábamos, ella me cogía a mí por la cintura en vez de ponerme la mano en el hombro. Creo que no alcanzaba a mi hombro porque ella era pequeñita y por eso me agarraba por la cintura. Pero eso no nos perjudicaba [98] y ella y yo ganamos un con- 15 curso de tangos. Ella bailaba con mucho sentimiento el tango. Un jurado [99] le dijo: "Chica, hablas con los pies." Y ella vino a mí a que la besara en los labios porque habíamos ganado el concurso de tangos y porque para ella el bailar bien el tango era lo primero y más importante en la vida después de tener un hijo. 20

Nicolás pareció despertar de un sueño.

—¿Es que no tienes hijos?—preguntó.

El tabernero arrugó la frente.

—He dicho que no. Iba a tener uno cuando ella murió. Para esos asuntos iba a casa de su madre. Yo aún no lo sabía. 25

Yo bebí otro vaso antes de hablar. Tenía tan presente a mi hijo muerto que se me hacía que el mundo no había rodado desde entonces. Apenas advertí la ronquera [100] de mi voz cuando dije:

—Mi hijo murió aquella noche y la Chelo se marchó de mi lado sin despedirse. Yo no sé qué temería la condenada [101] puesto que 30 el chico ya no podía ser boxeador. Pero se fue y no he sabido de ella desde entonces.

El acordeón de Nicolás llenaba la estancia de acentos modulados como caricias. Tal vez por ello el tabernero, Nicolás y un servi-

---

[94] **desahogo**   relief, unburdening.
[95] **entornar**   to half-close.
[96] **acuciante**   sharp.
[97] **compases**   (*singular compás*) measures (*music*).

[98] **perjudicar**   to hurt.
[99] **jurado**   judge (*contest*).
[100] **ronquera**   hoarseness.
[101] **la condenada**   that wretched woman.

dor [102] nos remontábamos [103] en el aire con sus notas, añorando [104] las caricias que perdimos. Sí, quizá fuera por ello, por el acordeón; tal vez por la fuerza evocadora de una noche como ésta. El tabernero tenía ahora los codos incrustados en las rodillas y la mirada perdida bajo la mesa de enfrente.

Nicolás dejó de tocar. Dijo:

—Tengo la boca seca.

Y bebió dos nuevos vasos de vino. Luego apoyó el acordeón en el borde de la mesa para que su cuello descansara de la tirantez [105] del instrumento. Le miré de refilón [106] y vi que tenía un salpullido [107] en la parte posterior del pescuezo. [108] Pregunté:

—¿No duele eso?

Pero Nicolás no me hizo caso. Nicolás sólo obedecía los mandatos imperativos. Ni me miró esta vez, siquiera. Dijo:

—Mi cochina suerte llegó hasta eso. Una zarrapastrosa [109] me abrasó la cara y no saqué ni cinco [110] por ello. Los vecinos me dijeron que tenía derecho a una indemnización, pero yo no tenía cuartos [111] para llevar el asunto por la tremenda. [112] Me quedé sin media cara y ¡santas pascuas! [113]

Yo volví a acordarme de mi hijo muerto y de la Chelo y pedí a Nicolás que interpretase "Al corro claro." Después bebí un trago para entonarme [114] y dije:

—En el reposo de estos meses he reflexionado y ya sé por qué la Chelo se fue de mi lado. Ella tenía miedo de la factura [115] del médico y me dejó plantado [116] como una guarra. [117] La Chelo no me quería a mí. Me aguantó por el chico; si no, se hubiera marchado antes. Y por eso me dejó colgado con la cuenta del médico y el dolor de mi hijo muerto. Luego, todo lo demás. Para tapar [118] un agujero tuve que abrir otro agujero y me atraparon. Ésa fue mi

[102] **un servidor** yours truly (I).
[103] **remontarse** to rise up; to soar.
[104] **añorar** to long for.
[105] **tirantez** strain.
[106] **de refilón** askance.
[107] **salpullido** rash.
[108] **pescuezo** neck.
[109] **zarrapastrosa** shabby woman.
[110] **ni cinco** even a penny.
[111] **cuartos** money.
[112] **por la tremenda** to the bitter end.
[113] **¡santas pascuas!** That's it! I give up!
[114] **entonarme** to intone; *translate* to clear my throat.
[115] **factura** bill.
[116] **plantado** jilted, thrown aside.
[117] **guarra** pig.
[118] **tapar** to cover up.

equivocación: robar en vez de trabajar. Por eso no volveré a hacerlo . . .

Me apretaba el dolor en el hombro izquierdo y sentía un raro desahogo hablando. Por eso bebí un vaso y agregué:

—Además . . . 5

El tabernero me dirigió sus ojos turbios [119] y cansados, como los de un buey.

—¿Es que hay más?—dijo irritado.

—Hay—dije yo—. En la cárcel me hizo sufrir mucho el reuma y para curarlo me quitaron los dientes y me quitaron las muelas y 10
me quitaron las anginas; [120] pero el reuma seguía. Y cuando ya no quedaba nada por quitarme me dijeron: "El 313 tome salicilato." [121]

—¡Ah!—dijo Nicolás.

Yo agregué: —El 313 era yo anteayer.

Y después nos quedamos todos callados. De la calle ascendía un 15
alegre repiqueteo de panderetas [122] y yo pensé en mi hijo muerto, pero no dije nada. Luego vibraron al unísono las campanas de muchas torres, y yo pensé: "¡Caramba, es Nochebuena; hay que alegrarse!" Y bebí un vaso.

Nicolás se había derrumbado de bruces [123] sobre la mesa y se 20
quedó dormido. Su respiración era irregular, salpicada de fallos [124] y silbidos; peor que la del acordeón.

EXERCISES *En una noche así*

I. *Cuestionario.*

1. ¿Quién es el narrador de esta historia?
2. ¿Por qué es más intensa su soledad esta noche?
3. ¿Qué tiempo hace?
4. ¿Dónde encuentra el narrador a Nicolás? ¿Por qué toca éste el acordeón?
5. ¿Cómo se explica la cara grotesca de Nicolás?
6. ¿Por qué se entristece el tabernero al oír "La última noche que pasé contigo"?

[119] **turbios** drowsy.
[120] **anginas** angina pains.
[121] **tome salicilato** Have (no. 313) take salicylate (*a salt used in treating rheumatism*).

[122] **repiqueteo de panderetas** sound of tambourines.
[123] **derrumbar de bruces** to fall face downward.
[124] **fallos** defects; *here,* wheezes.

7. ¿Tienen los tres hombres ganas de emborracharse esta noche?
8. ¿Sobre qué riñeron el narrador y la Chelo?
9. ¿A qué se refiere Nicolás cuando dice: "Fue una cochina suerte la mía"?
10. ¿Qué hace cuajar un sentimiento de solidaridad entre ellos?
11. ¿Cómo se murió la esposa del tabernero?
12. ¿Con qué nota se termina la historia: esperanza, resignación, pesimismo? ¿Qué efecto tiene el último párrafo?

II. *Give the meaning of the italicized expressions in the sentences below.*

1. Llenó los vasos *de nuevo* y bebimos, y *los volvió a llenar.*
2. Casi *lo mejor* es ponerse *a silbar* una canción infantil.
3. Nicolás *dejó de* tocar.
4. Y *hacía tanto frío* que hasta el resuello del acordeón se congelaba en el aire.
5. Nicolás *no me hizo caso.*
6. Porque *lo peor* no es *el estar* solo, *sino* el encontrarse uno hecho una total porquería.
7. Y ella *se echó a* llorar. También lloraba cuando el chico *se puso malito.*
8. *Hice un alto* y bebí un vaso.
9. Nadie sabe lo que *está por* pasar.
10. Parecía uno de esos tipos que no *tienen frío* nunca.

III. *Give the proper form of the verbs in parentheses, being careful to distinguish between the subjunctive and the indicative.*

1. Yo dije a la Chelo que (*avisar*) al médico.
2. Después, sin que yo (*decir*) nada, Nicolás tocó otra canción.
3. Si ella no hubiera ido a ver a su madre, aún (*estar*) aquí.
4. Permanecimos callados un rato, como si (*querer*) escuchar el caer de la nieve.
5. Y ella decía: "Si (*tener*) un hijo, quiero que (*tener*) los ojos azules como yo."
6. Yo (*desear*) [express "would have desired" in two ways] que Nicolás tocase de una manera continua, sin necesidad de que yo se lo (*pedir*).
7. Y si la churrera me (*quemar*) es porque yo me puse debajo de la sartén.

8. Aquella noche yo no me fui a echar la partida, sino que me (*quedar*) junto a mi hijo.

IV. *State whether the following are true or false.*

1. El narrador fue libertado de la cárcel porque era Navidad.
2. En la cárcel le sacaron todos los dientes.
3. Nicolás y él *hacen buenas migas* [get along] porque se necesitan el uno al otro.
4. Nicolás perdió a su esposa hace tres años.
5. Nicolás habla más por su acordeón que por su voz.
6. La mujer del tabernero no le hacía ni fu ni fa porque no bailaba tan bien como ella.
7. Cuánto más beben los tres hombres, tanto más se acuerdan de su negra suerte.
8. La Chelo dejó plantado al narrador cuando su hijo se hizo boxeador.
9. Nicolás es fatalista.
10. La historia se termina porque no hay más vino que tomar.

A Selection of Poetry

A note on
Spanish Versification

Whereas in English poetry each line has a definite number of metrical feet, the meter of Spanish verse depends upon a definite number of syllables, so that a line is designated as being of eight syllables (octosyllabic), of eleven syllables (hendecasyllabic), etc. As the student reads or recites poetry, he must be careful to take into account the following:

A If a word ends in a vowel and precedes another word beginning with a vowel, the two vowels are run together to form one syllable:

1   2   3 4 5 6 7

cuando⌢esperamos saber

B If the word at the end of a line has the stress on the last syllable, like *saber,* an extra syllable is added to the count; thus, the line of poetry shown in (**A**) is not considered to be seven syllables, but eight.

C Likewise, if the last word of a line has the stress on the ante-penult (third syllable from the end), one syllable is subtracted; thus,

antes de llegar a Córdoba

is counted as an octosyllabic line.

There are two kinds of rhyme in Spanish: *consonance,* which is the identity of the last stressed vowel and any letters that follow it (*besaba-brotaba; cantar-mar*), and *assonance,* which is the identity of the last stressed vowel, and of a following unstressed vowel, if there is one. Any consonants coming after the stressed vowel need not be identical, as they must in the case of consonance. An example of assonance in o would be: *algodón, voz, flor, sol,* etc.; in e-a: *vereda, sierras, serena,* etc. With octosyllabic verse, assonance occurs only in the even lines.

Rubén Darío
1867 ▪ 1916

Toward the end of the nineteenth century a new literary school, called modernism, began to take shape in both Spanish America and Spain. Inspired by French poetic doctrines—Parnassianism and symbolism—and also by their own early and classical poetry, the modernists sought above all perfection and refinement of form and content. In contrast to the literary realism of the times, their poetry revealed an exquisiteness and sensuousness of tone, colorful and musical nuances, delicate impressionism, and complete freedom of metrical forms and rhythmic patterns. The poet in whom the innovations were most completely and definitely established was Rubén Darío, often called the leader of modernism. As one critic puts it, Darío opened the door to contemporary Spanish poetry.

Born in Nicaragua, Rubén read all the prose and poetry he could get his hands on as a child, and it was not long before this *poeta niño* became well known throughout Central America. Journalism was to be his profession, and he spent his adult years as a correspondent for *La nación,* of Buenos Aires. He was thus able to visit and live in many countries, including Spain and the United States.

Rubén Darío's fame rests primarily on three works. *Azul* (1888) is a collection of short stories and some poems, mostly dealing with fantastic and idealistic impressions. In 1896, *Prosas profanas (Non-sacred Poems: prosa* was used by some early poets to refer to poems, usually religious in nature, written in Spanish as opposed to Latin) established Darío as the leading exponent of modernism. In this work, he achieves brilliant effects of sound and music through various combinations of new and old forms and cadences. A refined sensuousness, colorful evocations of the exotic past, verses sculpted with the purity of marble, are other characteristic notes.

In his *Cantos de vida y esperanza* (1905), physical love as a theme of inspiration yields to love and pride of all that is Spanish —race, history, literature, and art. There is optimism, as the title suggests, faith in life, and Christianity. At the same time, the duality of the poet's nature is revealed in poems that express his melancholy, doubt, and pessimism (*e.g., Lo fatal*).

Of the poems that follow, two are from an early work (*Rimas,* 1887), two from *Prosas profanas,* and the last three from *Cantos de vida y esperanza.*

I. *Rima VII*

The meter and assonance (in e-a), the rhythm and content, all suggest the traditional Spanish ballad.

Llegué a la pobre cabaña
en días de primavera.
La niña triste cantaba,
la abuela hilaba [1] en la rueca.[2]

—¡Buena anciana, buena anciana,
bien haya [3] la niña bella,
a quien desde hoy amar juro [4]
con mis ansias [5] de poeta!—

La abuela miró a la niña,
la niña sonrió a la abuela.
Fuera, volaban gorriones [6]
sobre las rosas abiertas.

Llegué a la pobre cabaña
cuando el gris otoño empieza.
Oí un ruido de sollozos [7]
y sola estaba la abuela.

—¡Buena anciana, buena anciana!—
Me mira y no me contesta.

Yo sentí frío en el alma
cuando vi sus manos trémulas,
su arrugada y blanca cofia,[8]
sus fúnebres tocas [9] negras.

[1] **hilar** to spin.
[2] **rueca** distaff.
[3] **bien haya** blessed be.
[4] **jurar** to swear; *word order:* juro amar.
[5] **ansia** yearning, longing.
[6] **gorrión** sparrow.
[7] **sollozo** sob.
[8] **arrugada y blanca cofia** wrinkled white hair covering.
[9] **fúnebres tocas** funereal clothes.

Fuera, las brisas errantes
llevaban las hojas [10] secas.

II.   *Rima XIII*

Note the emphasis given to each stanza by changing the assonance in each one. Remember that each dash indicates a change in speaker.

—Allá está la cumbre.[11]
¿Qué miras? —Un astro.
—¿Me amas? —¡Te adoro!
—¿Subimos? [12] —¡Subamos!

—¿Qué ves? —Una aurora [13]   5
fugitiva y pálida.
—¿Qué sientes? —Anhelo.[14]
—Ésa es la esperanza.

—¡Qué alientos [15] de vida!
¡Qué fuegos de sol!   10
¡Qué luz tan radiante!
—¡Ése es el amor!

—¿Qué ves a tus plantas? [16]
—Un profundo abismo.
—¿Tiemblas? —Tengo miedo . . .   15
—¡Ése es el olvido! [17]

Pero no tiembles ni temas:
bajo el sacro [18] cielo azul,

---

[10] **hoja**   leaf.
[11] **cumbre**   summit.
[12] **subimos**   *present tense for the future, so common in conversational style.*
[13] **aurora**   dawn.

[14] **anhelo**   yearning, longing.
[15] **aliento**   breath.
[16] **plantas**   feet.
[17] **olvido**   oblivion.
[18] **sacro**   sacred.

167

para el que ama no hay abismos,
porque tiene alas [19] de luz.

III. *Para una cubana*

This and the following sonnet from Prosas profanas *are* sonetos de
arte menor, *that is,* sonetos *in which the verses do not exceed eight
syllables, instead of the customary eleven syllables.*

Miré, al sentarme a la mesa
bañado [20] en la luz del día
el retrato de María,
la cubana-japonesa.

El aire acaricia [21] y besa,
como un amante lo haría,
la orgullosa [22] bizarría [23]
de la cabellera espesa.[24]

Diera un tesoro [25] el Mikado
por sentirse acariciado
por princesa tan gentil,[26]

Digna [27] de que un gran pintor
la pinte junto a una flor
en un vaso de marfil.[28]

IV. *Mía*

Note how the simple pronoun mía, *because of the feeling with
which the poet uses it, becomes so exalted a symbol of possession
that it is converted to a proper noun, the name of his beloved.*

[19] **ala**   wing.
[20] **bañar**   to bathe.
[21] **acariciar**   to caress.
[22] **orgulloso**   proud.
[23] **bizarría**   loftiness.

[24] **cabellera espesa**   thick (head of)
     hair.
[25] **tesoro**   treasure.
[26] **gentil**   elegant.
[27] **digna**   worthy.
[28] **marfil**   ivory.

Mía: así te llamas.
¿Qué más harmonía?
Mía: luz del día;
Mía: rosas, llamas.[29]

¡Qué aromas derramas [30]   5
en el alma mía,
si sé que me amas,
¡Oh Mía!, ¡oh Mía!

Tu sexo fundiste [31]
con mi sexo fuerte,   10
fundiendo dos bronces.

Yo, triste; tú, triste . . .
¿No has de ser, entonces,
Mía hasta la muerte?

V.   *Los tres reyes magos* [32]

—Yo soy Gaspar. Aquí traigo el incienso.[33]
Vengo a decir: La vida es pura y bella.
Existe Dios. El amor es inmenso.
¡Todo lo sé por la divina Estrella!

—Yo soy Melchor. Mi mirra [34] aroma todo.   5
Existe Dios. Él es la luz del día.
¡La blanca flor tiene sus pies en lodo [35]
y en el placer hay la melancolía!

—Soy Baltasar. Traigo el oro. Aseguro
que existe Dios. Él es el grande y fuerte.   10
Todo lo sé por el lucero [36] puro
que brilla en la diadema de la Muerte.

---

[29] **llama**   flame (*of love*).
[30] **derramar**   to pour out.
[31] **fundir**   to fuse; to cast (bronze).
[32] **Los tres reyes magos**   The Three
    Wise Men (*Kings*).
[33] **incienso**   incense.
[34] **mirra**   myrrh.
[35] **lodo**   mud.
[36] **lucero**   star; light.

—Gaspar, Melchor y Baltasar, callaos.[37]
Triunfa el amor, y a su fiesta os convida.[38]
¡Cristo resurge,[39] hace la luz del caos [40]
y tiene la corona de la Vida!

VI. *Un soneto a Cervantes*

Devoting his life to the cult of art, the poet in this sober sonnet finds company and consolation for his solitude in the great art of Cervantes.

Horas de pesadumbre [41] y de tristeza
paso en mi soledad.[42] Pero Cervantes
es buen amigo. Endulza [43] mis instantes
ásperos,[44] y reposa mi cabeza.

Él es la vida y la naturaleza,[45]
regala un yelmo [46] de oros y diamantes
a mis sueños errantes.
Es para mí: suspira,[47] ríe y reza.[48]

Cristiano y amoroso caballero
parla [49] como un arroyo [50] cristalino.
¡Así le admiro y quiero,

viendo cómo el destino
hace que regocije [51] al mundo entero
la tristeza inmortal de ser divino!

[37] **callaos** (*callad + os*) *Familiar imperative plural of* **callarse** *to be silent. Note the dropping of the d.*

[38] **convidar** to invite.

[39] **resurgir** to be resurrected.

[40] **caos** chaos.

[41] **pesadumbre** sorrow, affliction.

[42] **soledad** solitude, loneliness.

[43] **endulzar** to sweeten; to soften.

[44] **áspero** harsh, bitter.

[45] **naturaleza** nature.

[46] **regala un yelmo** he gives a helmet. *The "helmet of gold and diamonds" symbolizes artistic perfection.*

[47] **suspirar** to sigh.

[48] **rezar** to pray.

[49] **parlar** to speak.

[50] **arroyo** brook.

[51] **regocijar** to delight; to cheer. *The subject of the verb is the last line.*

VII. *Lo fatal* [52]

The pessimism and the torment of the poet expressed in the poem are intensified by the fact that it was written at a time when he had been exalting the world of the senses.

Dichoso [53] el árbol que es apenas sensitivo,
y más la piedra dura, porque ésta ya no siente,
pues no hay dolor más grande que el dolor de ser vivo,
ni mayor pesadumbre que la vida consciente.[54]

Ser, y no saber nada, y ser sin rumbo [55] cierto,   5
y el temor de haber sido y un futuro terror . . .
Y el espanto [56] seguro de estar mañana muerto,
y sufrir por la vida y por la sombra [57] y por

lo que no conocemos y apenas sospechamos,[58]
y la carne que tienta [59] con sus frescos racimos [60]   10
y la tumba que aguarda [61] con sus fúnebres ramos,[62]
¡y no saber adónde vamos,
ni de dónde venimos! . . .[63]

VIII. *A Margarita Debayle* [64]

Darío's love of fantasy, idealistic impressions, and the exotic are portrayed in this beautiful poem in consonantal rhyme.

[52] **lo fatal**   fatality.
[53] **dichoso**   happy, fortunate.
[54] **consciente**   conscious, of the senses.
[55] **rumbo**   course, direction.
[56] **espanto**   fear.
[57] **sombra**   shade, darkness.
[58] **sospechar**   to suspect.
[59] **tentar**   to tempt.
[60] **racimos**   clusters (*of grapes*).
[61] **aguardar**   to await.
[62] **ramos**   bunch (*of flowers*). Note the juxtaposition of the concepts

of love and death in these two sonorous verses.
[63] *In lines 5–13, the accumulative effect of the poet's overwhelming grief is stylistically brought about by the constant repetition of the conjunction and, which appears twelve times in these verses.*
[64] *The daughter of Dr. Debayle, a French physician who lived in Nicaragua and was a great friend and admirer of the poet.*

Margarita, está linda la mar,
Y el viento
Lleva esencia sutil de azahar; [65]
Yo siento
En el alma una alondra [66] cantar:
Tu acento.
Margarita, te voy a contar
Un cuento.

Éste era [67] un rey que tenía
Un palacio de diamantes,
Una tienda [68] hecha del día
Y un rebaño [69] de elefantes,
Un kiosco [70] de malaquita,[71]
Un gran manto de tisú,[72]
Y una gentil princesita,
Tan bonita,
Margarita,
Tan bonita como tú.

Una tarde la princesa
Vio una estrella aparecer;
La princesa era traviesa [73]
Y la quiso ir a coger.

La quería para hacerla
Decorar un prendedor,[74]
Con un verso y una perla,
Y una pluma [75] y una flor.

Las princesas primorosas [76]
Se parecen mucho a ti:

[65] **azahar**   orange flower.
[66] **alondra**   lark.
[67] **Éste era**   there was once.
[68] **tienda**   tent.
[69] **rebaño**   herd.
[70] **kiosco**   pavilion.
[71] **malaquita**   malachite, *a green carbonate of copper.*

[72] **manto de tisú**   cloak of gold tissue.
[73] **traviesa**   mischievous.
[74] **prendedor**   brooch.
[75] **pluma**   feather.
[76] **primoroso**   exquisite, graceful.

Cortan lirios,[77] cortan rosas,
Cortan astros. Son así.   30

Pues se fue la niña bella,
Bajo el cielo y sobre el mar,
A cortar la blanca estrella
Que la hacía suspirar.

Y siguió camino arriba,[78]   35
Por la luna y más allá;
Mas lo malo es que ella iba
Sin permiso del papá.

Cuando estuvo ya de vuelta
De los parques del Señor,   40
Se miraba toda envuelta [79]
En un dulce resplandor.

Y el rey dijo: "¿Qué te has hecho? [80]
Te he buscado y no te hallé;
Y ¿qué tienes en el pecho,   45
Que encendido se te ve?" [81]

La princesa no mentía.[82]
Y así, dijo la verdad:
"Fui a cortar la estrella mía
A la azul inmensidad." [83]   50

Y el rey clama: [84] "¿No te he dicho
Que el azul no hay que tocar?
¡Qué locura! ¡Qué capricho!
El Señor se va a enojar." [85]

[77] **lirio**   lily.
[78] **camino arriba**   upward.
[79] **envuelta**   wrapped up, enveloped.
[80] **¿Qué . . . hecho?**   (hacerse, to become)   What has become of you?
[81] **Que . . . ve**   that seems to be all aglow. **te** *refers to the person concerned* (*the Latin dative of interest*).
[82] **mentir**   to lie.
[83] *Read* **Fui a la azul inmensidad a cortar . . .**
[84] **clamar**   to exclaim.
[85] **enojarse**   to become angry.

Y dice ella: "No hubo intento; [86]   5
Yo me fui no sé por qué;
Por las olas [87] y en el viento
Fui a la estrella y la corté."

Y el papá dice enojado:
"Un castigo [88] has de tener: 6
Vuelve al cielo, y lo robado [89]
Vas ahora a devolver." [90]

La princesa se entristece
Por su dulce flor de luz,
Cuando entonces aparece   6
Sonriendo el Buen Jesús.

Y así dice: "En mis campiñas [91]
Esa rosa le ofrecí:
Son mis flores de las niñas
Que al soñar piensan en Mí."   7

Viste [92] el rey ropas brillantes,
Y luego hace desfilar [93]
Cuatrocientos elefantes
A la orilla [94] de la mar.

La princesita está bella,   7
Pues ya tiene el prendedor
En que lucen con la estrella,
Verso, perla, pluma y flor.

Margarita, está linda la mar,
Y el viento   8
Lleva esencia sutil de azahar:

[86] **intento**   malice intended.
[87] **ola**   wave.
[88] **castigo**   punishment.
[89] **lo robado**   (**robar** to steal) *object of devolver.*
[90] **devolver**   to return.

[91] **campiñas**   fields.
[92] **vestir**   to wear; to put on.
[93] **desfilar**   to pass in single file; to parade.
[94] **orilla**   shore, edge.

Tu aliento.
Ya que lejos de mí vas a estar,
Guarda, niña, un gentil pensamiento
Al que [95] un día te quiso contar   85
Un cuento.

EXERCISES   *Poems I–IV*

I. *Cuestionario (The Roman numerals refer to the poems).*

 1. ¿Cuándo llegó el poeta a la cabaña?   (i)
 2. ¿Por qué vino?   (i)
 3. ¿Cuándo volvió el poeta? ¿Qué oyó?   (i)
 4. ¿Cómo sabe que se ha muerto la niña?   (i)
 5. ¿Cuál es el papel de la naturaleza en este poema?   (i)
 6. ¿Qué ve la amada desde la cumbre?   (ii)
 7. ¿Qué es la esperanza?   (ii)
 8. ¿Cómo se define el amor?   (ii)
 9. ¿Por qué tiene ella miedo?   (ii)
10. ¿Es pesimista el poema?   (ii)
11. ¿Cómo es María?   (iii)
12. ¿Le parece a usted tan real como cualquiera otra persona?   (iii)
13. ¿Cómo debe pintarla un gran pintor?   (iii)
14. ¿Tiene ella misma una cualidad de marfil?   (iii)
15. ¿Qué significa Mía para el poeta?   (iv)
16. ¿Está feliz o triste el poeta?   (iv)
17. ¿Por qué ha de ser ella del poeta hasta la muerte?   (iv)

II. *Complete the following by selecting the appropriate word or
     words in parentheses.*

 1. La niña vive con su anciana (*madre, abuela, rueca*).   (i)
 2. El poeta volvió a la cabaña en (*primavera, invierno, otoño*).   (i)
 3. Sintió frío en el alma cuando vio las (*hojas secas, tocas negras*).
    (i)
 4. La muchacha ve una aurora fugitiva y (*rosa, pálida*).   (ii)
 5. Tiene miedo porque ve un profundo (*abismo, dolor*).   (ii)

---

[95] **al que** of the one who.

175

6. El retrato está (*escondido, robado, bañado*) en la luz del día. (III)

7. María tiene la cabellera (*espesa, rubia, falsa*). (III)

8. Debe ser pintada en un vaso de (*agua, marfil*). (III)

9. Mía derrama (*dolor, aromas*) en el alma del poeta. (IV)

10. Has de ser mía hasta (*la mañana, la muerte*). (IV)

III. *Translate the words in parentheses into Spanish. (For further drill, substitute different subjects for the verbs; likewise, the statements may be converted to questions.)*

1. (*I arrived*) a la pobre cabaña en primavera.

2. La niña (*smiled*) a la abuela.

3. (*I heard*) un ruido de sollozos.

4. ¿Qué (*did he feel*) cuando (*he saw*) sus manos trémulas?

5. ¡(*Let's go up*)!

6. ¿Por qué (*do you tremble*)?

7. (*I sat down*) a la mesa.

8. (*He would give*) un tesoro por princesa tan gentil.

9. (*I do not know*) si me amas.

10. (*You are to*) ser mía hasta la muerte.

IV. *Translate the following sentences into Spanish.*

1. The grandmother was alone in the cabin.

2. The girl died when the gray autumn came.

3. What a beautiful dawn!

4. There is no fear for the one who loves.

5. I would do everything for you.

6. Say that you will be mine.

EXERCISES *Poems V–VIII*

I. *Cuestionario.*

1. ¿Quiénes son los tres reyes magos? ¿Qué traen? (V)

2. ¿Qué vienen a decir? (V)

3. ¿Es profano el poema? (V)

4. ¿Cómo ayuda Cervantes al poeta? (VI)

5. ¿Por qué admira el poeta a Cervantes? (VI)

6. ¿Cómo es la vida para el poeta?   (VII)
7. ¿De qué tiene miedo?   (VII)
8. ¿Cómo es distinto el hombre de la piedra o del árbol?   (VII)
9. En el cuento, ¿qué hace la princesa traviesa?   (VIII)
10. ¿Con quién se compara a Margarita?   (VIII)
11. ¿Por qué está enojado el papá?   (VIII)
12. ¿Por qué no tiene la princesa que devolver lo robado?   (VIII)
13. ¿Para qué sirven la primera y la última estrofas?   (VIII)

II. *Complete the following sentences by selecting the appropriate word from the list below. Make any changes where necessary.*

tristeza	entero	estrella	alegría
existir	castigo	dichoso	muerto
dolor	caos	parecerse	en casa

1. Jesucristo hace la luz del _____.   (V)
2. Los reyes magos aseguran que _____ Dios.   (V)
3. El poeta pasa horas de _____ en su soledad.   (VI)
4. El árbol es _____ porque no es sensitivo.   (VII)
5. No hay _____ más grande que el de ser vivo.   (VII)
6. El poeta tiene el espanto seguro de estar mañana _____.   (VII)
7. La princesa _____ a ti.   (VIII)
8. Fue a cortar una _____.   (VIII)
9. El papá dice enojado: "Un _____ has de tener."   (VIII)

III. *Translate the following sentences into Spanish.*

1. The little princess looks [is] beautiful.
2. Life is pure and God is the light of day.
3. There is no greater grief than life itself.
4. We suffer for what we do not know.
5. What has become of the king?
6. These flowers are for those who think of me.

IV. *Using the words below, give a short summary in Spanish of* A Margarita Debayle.

| cuento | estrella | permiso | devolver |
| princesa | coger | enojado | castigo |

Antonio Machado y Ruiz
1875 ▪ 1939

The leading poet of the Generation of '98 * was Antonio Machado. He was born in Sevilla but spent most of his life in Castilla. For some years he served as a teacher of French in the ancient city of Soria, where his wife's death, a tragic blow from which he never fully recovered, took place. During the Civil War he remained loyal to the Republican cause, and died shortly before the end of that terrible conflict. Today his reputation is as great as, if not greater than, it has ever been.

Machado's best known collection of poems is called *Campos de Castilla,* 1912. Like the man ("mysterious and silent" in the words of Rubén Darío) and the countryside of Castilla, which he describes so often, the poetry of Machado is sober, austere, melancholy, simple in its unadornment, quite unlike that of the modernists. (The relative scarcity of metaphors in his poetry is noticeable.) Although his critical attitude, especially towards his country's *abulia,* or apathy, and his style place him among the writers of the Generation of '98, we must keep in mind that Machado was not a social historian; he was a poet, as you will see, intensely human, sensitive, personal, philosophical. He deals with eternal themes, such as time, death, and love.

You will also find that one of the most recurrent themes in the poems that follow is remembrance of the past. According to Machado, however, one does not *remember* the past, one *dreams* it. The past experience is considered as something fluid; modified by time and by one's whole conscience, it becomes converted into a form of dream. Thus, in Machado's conception, memory is evoked only by *el sueño.*

* See introduction to Pío Baroja.

I. *Proverbios y cantares*

The nature of these little poems is suggested by the title under which they are written.

A.

Nuestras horas son minutos
cuando esperamos saber,
y siglos [1] cuando sabemos
lo que se puede aprender.

B.

De lo que llaman los hombres   5
virtud, justicia y bondad,
una mitad es envidia,[2]
y la otra no es caridad.[3]

C.

Es el mejor de los buenos
quien [4] sabe que en esta vida   10
todo es cuestión de medida: [5]
un poco más, algo menos . . .

D.

Ayer soñé [6] que veía
a Dios y que a Dios hablaba;
y soñé que Dios me oía . . .   15
Después soñé que soñaba.

E.

Bueno es saber que los vasos
nos sirven para beber;

---

[1] **siglos**   centuries.
[2] **envidia**   envy.
[3] **caridad**   love, charity.

[4] **quien**   the one who.
[5] **medida**   measure.
[6] **soñar**   to dream.

lo malo [7] es que no sabemos
para qué sirve la sed.

2

II.

One of Machado's best known poems. Note its simplicity of language and its visual effect.

La plaza tiene una torre,[8]
la torre tiene un balcón,
el balcón tiene una dama,
la dama una blanca flor.
Ha pasado un caballero
—¡quién sabe por qué pasó!—,
y se ha llevado [9] la plaza,
con su torre y su balcón,
con su balcón y su dama,
su dama y su blanca flor.[10]

1

III.

With regret and even a touch of bitterness, the poet "dreams" his lost youth, a youth "sin amor"; nevertheless, he is anxious to repeat this dream.

La primavera besaba
suavemente [11] la arboleda,[12]
y el verde nuevo brotaba [13]
como una verde humareda.[14]

---

[7] **lo malo**   the bad thing; that which is bad.
[8] **torre**   tower.
[9] **llevarse**   to take; to carry away.
[10] *Literally, of course, what the knight took away was not the square, etc., but rather, perhaps, the* image *of all that is tangibly expressed in the first four verses.*
[11] **suavemente**   gently, softly.
[12] **arboleda**   grove.
[13] **brotar**   to bud; to burst forth.
[14] **humareda**   smoke.

Las nubes iban pasando   5
sobre el campo juvenil . . .
Yo vi en las hojas temblando [15]
las frescas lluvias de abril.

Bajo ese almendro [16] florido,
todo cargado [17] de flor   10
—recordé—, yo he maldecido [18]
mi juventud [19] sin amor.

Hoy, en mitad de la vida,
me he parado a meditar . . .
¡Juventud nunca vivida,   15
quién te volviera a soñar! [20]

IV.

This is one of Machado's most beautiful and moving poems. The beloved appears so real in the dream that the poet wonders if she is not still present.

Soñé que tú me llevabas
por una blanca vereda,[21]
en medio del campo verde,
hacia el azul de las sierras,[22]
hacia los montes azules,   5
una mañana serena.

Sentí tu mano en la mía,
tu mano de compañera,
tu voz de niña en mi oído [23]

---

[15] temblando   *Read:* yo vi temblando . . .
[16] almendro   almond tree.
[17] cargado   loaded, full.
[18] maldecido   *Past participle of maldecir* to curse.
[19] juventud   youth.
[20] quién te volviera a soñar   if I could only dream you again.
[21] vereda   path.
[22] sierras   mountain ranges.
[23] oído   ear.

como una campana [24] nueva,   10
como una campana virgen
de un alba [25] de primavera.
¡Eran tu voz y tu mano,
en sueños, tan verdaderas! . . .
Vive, esperanza,[26] ¡quién sabe   15
lo que se traga [27] la tierra! [28]

V.

This poem is on the death of Machado's wife Leonor, to whom he had been married for only three years. Note the delicate restraint, and how the words move lightly and silently through the poem, like Death through the house.

Una noche de verano
—estaba abierto el balcón
y la puerta de mi casa—
la muerte en mi casa entró.
Se fue acercando [29] a su lecho [30]   5
—ni siquiera [31] me miró—,
con unos dedos [32] muy finos,
algo muy tenue [33] rompió.
Silenciosa y sin mirarme,
la muerte otra vez pasó   10
delante de mí. ¿Qué has hecho?
La muerte no respondió.
Mi niña quedó tranquila,
dolido [34] mi corazón.
¡Ay, lo que la muerte ha roto [35]   15
era un hilo [36] entre los dos!

[24] **campana**   bell.
[25] **alba**   dawn.
[26] **esperanza**   hope.
[27] **tragar(se)**   to swallow.
[28] *I.e., perhaps she is still alive.*
[29] **se fue acercando** = se acercó poco a poco.
[30] **su lecho**   her bed.

[31] **ni siquiera**   not even.
[32] **dedos**   fingers.
[33] **tenue**   thin, delicate.
[34] **dolido**   aching, grieving.
[35] **roto**   *past participle of* **romper** to break.
[36] **hilo**   thread.

VI.

In this "parable," we find the theme of appearance and reality, and the poet concludes that life is a dream.

Era un niño que soñaba
un caballo de cartón.[37]
Abrió los ojos el niño
y el caballito no vio.
Con [38] un caballito blanco   5
el niño volvió a [39] soñar;
y por la crin [40] lo cogía . . .
¡Ahora no te escaparás! [41]
Apenas lo hubo cogido,
el niño se despertó.   10
Tenía el puño [42] cerrado.
¡El caballito voló! [43]
Quedóse el niño muy serio
pensando que no es verdad
un caballito soñado.   15
Y ya no volvió a soñar.

Pero el niño se hizo mozo [44]
y el mozo tuvo un amor,
y a su amada le decía:
¿Tú eres de verdad o no?   20
Cuando el mozo se hizo viejo
pensaba: Todo es soñar,[45]
el caballito soñado
y el caballo de verdad.
Y cuando vino la muerte,   25
el viejo a su corazón
preguntaba: ¿Tú eres sueño?
¡Quién sabe si despertó!

[37] **cartón**   pasteboard, cardboard.
[38] **con: soñar** (*next line*) **con** to dream about.
[39] **volver a** *plus infinitive* to do (*something*) again.
[40] **crin**   mane.
[41] **escaparse**   to escape; to flee.
[42] **puño**   fist.
[43] **volar**   to fly away; to be gone.
[44] **mozo**   young man.
[45] **soñar**   a dream.

Antonio Machado y Ruiz

VII. *Hastío* [46]

Boredom is a common emotional note in the dreams. The clock and water are used in many of Machado's poems as symbols of monotonous time and of man's temporal anguish.

Pasan las horas de hastío
por la estancia [47] familiar,
el amplio cuarto sombrío
donde yo empecé a soñar.

Del reloj arrinconado,[48]
que en la penumbra clarea,[49]
el tictac acompasado [50]
odiosamente golpea.[51]

Dice la monotonía
del agua clara al caer:
un día es como otro día;
hoy es lo mismo que ayer.

Cae la tarde. El viento agita [52]
el parque mustio [53] y dorado . . .
¡Qué largamente [54] ha llorado
toda la fronda marchita! [55]

VIII.

This beautiful poem is one of many concerning Soria and Castilla, most of them bitter in tone. Note, however, that there is a contrast

[46] **hastío**   tedium, boredom.
[47] **estancia**   (*sitting*) room.
[48] **arrinconado**   in a corner. *The phrase goes with the subject of the sentence, el tictac acompasado, line 7.*
[49] **que . . . clarea**   which lights up in the darkness.
[50] **acompasado**   rhythmic, measured.
[51] **odiosamente golpea**   hatefully ticks away.
[52] **agitar**   to stir.
[53] **mustio y dorado**   melancholy and golden.
[54] **¡Qué largamente**   for how long a time.
[55] **fronda marchita**   withered foliage.

between present decay and past glory. Pick out the words and images that evoke this contrast.

¡Soria fría, *Soria pura,*
cabeza de Extremadura,[56]
con su castillo guerrero [57]
arruinado, sobre el Duero;
con sus murallas roídas [58]   5
y sus casas denegridas! [59]

¡Muerta ciudad de señores
soldados o cazadores; [60]
de portales con escudos
de cien linajes hidalgos,[61]   10
y de famélicos galgos,[62]
de galgos flacos y agudos,[63]
que pululan [64]
por las sórdidas callejas,
y a la medianoche ululan,   15
cuando graznan las cornejas! [65]

¡Soria fría! La campana
de la Audiencia [66] da la una.
Soria, ciudad castellana
¡tan bella! bajo la luna.   20

EXERCISES   *Poems I–IV*

I.   *Cuestionario (The Roman numerals refer to the poems).*

1. ¿Qué es la virtud?   (i)

[56] *Coat of arms of Soria, on the Duero river. Extremadura, in the Middle Ages, referred to any part of Castilla that bordered on enemy territory.*

[57] **guerrero**   warlike.

[58] **roídas**   crumbling.

[59] **denegridas**   blackened (*by age*).

[60] **cazadores**   hunters.

[61] **linajes hidalgos**   noble families.

[62] **famélicos galgos**   ravenous greyhounds.

[63] **agudos**   gaunt.

[64] **pulular**   to swarm. *Note the lyrical effect of the alliteration. Cf. below, line 15,* **ulular** *to howl.*

[65] **graznan las cornejas**   the eagle owls croak.

[66] **Audiencia**   Courthouse.

185

2. ¿Qué soñó el poeta?   (I)
3. ¿Qué tiene la plaza?   (II)
4. ¿Qué hizo el caballero?   (II)
5. ¿Qué tienen en común los cuatro primeros versos y los cuatro últimos?   (II)
6. ¿Qué adjetivos y sustantivos señalan la primavera?   (III)
7. ¿Qué recordó el poeta?   (III)
8. ¿Qué quiere volver a soñar?   (III)
9. ¿Qué evoca el poeta?   (IV)
10. ¿Qué colores se destacan en la primera estrofa?   (IV)
11. ¿Cómo eran la voz y la mano de la amada?   (IV)
12. ¿Parece real o irreal la amada?   (IV)

II.   *State whether the following are true or false.*

1. El sueño es un tema común en la poesía de Machado.
2. No hay plazas en los pueblos de España.
3. El caballero no hizo caso a la dama que estaba en el balcón.
4. La primavera trae recuerdos de la juventud.
5. El poeta se alegra de que su juventud haya sido sin amor.
6. El poeta soñó que su amada le llevaba por una blanca playa.

III.   *Translate the following sentences into Spanish.*

1. I don't know what can be done (what one can do).
2. The bad thing is that he doesn't like poetry.
3. There is a woman sitting on the balcony.
4. She has a flower in her hand.
5. It rains a lot in spring.
6. He never saw her again.
7. I felt her hand in mine.
8. She has a child's voice.

EXERCISES   *Poems V–VIII*

I.   *Cuestionario* (*the Roman numerals refer to the poems*).

1. ¿Quién entró en casa del poeta? ¿Cuándo?   (V)
2. ¿Vino la muerte por el poeta?   (V)
3. ¿Qué ha hecho la muerte?   (V)

4. ¿Con qué sueña el niño?   (VI)
5. ¿Piensa el niño que lo soñado es verdad?   (VI)
6. ¿Ha pasado el niño toda la vida en sueño?   (VI)
7. En el poema, ¿para qué sirve el tictac del reloj?   (VII)
8. ¿Hay otro símbolo para el hastío?   (VII)
9. ¿Cuál es el estado actual de Soria?   (VIII)
10. ¿Como aparece Soria al final del poema?   (VIII)

II.   *Translate the words in parentheses.*

1. La muerte (*was approaching*) su casa.
2. Sin (*looking at me*), la muerte pasó delante de mí.
3. (*What*) la muerte ha roto era un hilo entre los dos.
4. El niño abrió (*his*) ojos.
5. El niño (*became*) mozo.
6. (*Scarcely*) lo hubo cogido, el niño se despertó.
7. Pasan las horas de hastío (*through*) el cuarto.
8. Hoy es (*the same*) que ayer.
9. La campana (*strikes*) la una.
10. Ciudad (*so*) bella bajo la luna.

III.   *Translate the following sentences into Spanish.*

1. The door of my house was open.
2. I saw death behind me.
3. I do not know what it was looking for.
4. Do you dream of horses?
5. He never visited Soria again.
6. I began to think that life is a dream.
7. The clock is in the corner of the room.
8. The poet says that Soria is a dead city.

Federico García Lorca
1899 ▪ 1936

The most widely admired Spanish poet and dramatist of modern times is without doubt Federico García Lorca, one of a brilliant group of poets who began to gain recognition in the 1920's and who are greatly responsible for what many call Spain's second golden age of literature.

García Lorca was born and grew up in a village near Granada. In 1920 he went to Madrid to continue his university studies; gifted with unusual creative talents (he was an accomplished pianist and a good painter) and with an engaging, magnetic personality, the young poet soon became the favorite of literary circles. From 1929 to 1930 he spent some time in New York, staying at Columbia University, and later went to Cuba. When he returned, he devoted himself primarily to his dramas, which he considered an extension of his poetry ("one can find pure lyrical poetry in a play as well as in a poem").

Among the plays on which his international fame rests are his rural tragedies: *Bodas de sangre* (1933), *Yerma* (1934), and *La casa de Bernarda Alba,* finished shortly before his death. These are intense, powerful, poetic representations of the suffering and frustration of Spanish women, in whom passion and earthly reality are portrayed. In the summer of 1936, García Lorca paid a visit to his home; on August 19, his brutal and inexplicable murder at the hands of a firing squad shocked the entire world.

García Lorca is best known for his mature poetry, which conveys the popular spirit and traditions of Andalusia—the folklore, the gypsies, the bullfighters, the color, the trembling notes of the guitar, the personal tragedy and death. The lament of the gypsy Andalusian music, the "deep song," charged with the atmosphere of blood and death, is hauntingly captured in *Canciones* (1927), *Poema del cante jondo (Poem of the Deep Song)*, written ten years before it was published in 1931, and above all in the longer poems of *Romancero gitano (Book of Gypsy Ballads)*, 1928.

Lorca's dynamic and dramatic world is revealed to us in a personal style, with bold, experimental images and metaphors flashing with dazzling colors. (We have already seen the cult of the poetic image manifested during this period in the *greguerías* of Ramón

Gómez de la Serna.) In a work like *Poeta en Nueva York,* based on the poet's stay in that city, the surrealistic images become almost obscure as he seeks to communicate the chaos and the anguish which he feels in this antihuman world so different from his own.

García Lorca creates a new reality that encompasses both the world of the senses and the visionary world of his mind expressed in symbols. In the poems that follow, selected from *Canciones* and *Poema del cante jondo,* you will find some of these symbols, particularly those for death, a theme which is repeated again and again in his poetry and his dramatic works. "The vision of life and man that gleams and shines forth in Lorca's work is founded on death. Lorca understands, feels life through death," wrote the late poet and critic, Pedro Salinas.

Sometimes, behind the apparent simplicity, the visual impression of the images and symbols may seem elusive or unreal, but you will still feel the emotion and pathos of the poems, as well as enjoying their musicality.

I. *Memento* [1]

Note that the first verse serves as a refrain; in other poems the ending repeats the beginning. This obsessive reiteration is a dominant note of the Andalusian "deep song."

> Cuando yo me muera,
> enterradme [2] con mi guitarra
> bajo la arena.[3]
> Cuando yo me muera
> entre los naranjos   5
> y la hierbabuena.[4]
> Cuando yo me muera,
> enterradme, si queréis,
> en una veleta.[5]
> ¡Cuando yo me muera!   10

II. *El lagarto* [6] *está llorando*

This early poem is one of Lorca's "canciones para niños," graceful in its apparent simplicity.

> El lagarto está llorando.
> La lagarta está llorando.
> El lagarto y la lagarta
> con delantalitos [7] blancos.
> Han perdido sin querer   5
> su anillo de desposados.[8]
> ¡Ay, su anillito de plomo,[9]
> ay, su anillito plomado!

[1] **Memento** reminder. *Specifically, one of two prayers in the canon of the Roman Mass, one for the living and one for the dead.*

[2] **enterrar** to bury.

[3] **arena** sand.

[4] **hierbabuena** mint.

[5] **veleta** weather vane.

[6] **lagarto** lizard.

[7] **delantalito** *diminutive of delantal* apron.

[8] **anillo de desposados** wedding ring.

[9] **plomo** lead.

Un cielo grande y sin gente
monta [10] en su globo [11] a los pájaros.   10
El sol, capitán redondo,
lleva un chaleco de raso.[12]
¡Miradlos qué viejos son!
¡Qué viejos son los lagartos!
¡Ay cómo lloran y lloran!   15
¡ay! ¡ay cómo están llorando!

III.   *Canción de jinete* [13]

This very popular poem is charged with mystery and drama.

Córdoba
Lejana y sola.

Jaca [14] negra, luna [15] grande,
y aceitunas en mi alforja.[16]
Aunque sepa los caminos   5
yo nunca llegaré a Córdoba.

Por el llano,[17] por el viento,
Jaca negra, luna roja.
La muerte me está mirando
desde las torres de Córdoba.   10

¡Ay qué camino tan largo!
¡Ay mi jaca valerosa!
¡Ay que la muerte me espera,
antes de llegar a Córdoba!

Córdoba.   15
Lejana y sola.

---

[10] **montar**   *here,* to carry.
[11] **globo**   balloon.
[12] **chaleco de raso**   satin waistcoat.
[13] **jinete**   horseman, rider.
[14] **jaca**   pony.

[15] **luna**   *symbol associated with death in Lorca.*
[16] **aceitunas en mi alforja**   olives in my saddlebag.
[17] **llano**   plain.

IV. *Sorpresa*

Poetry and music blend harmoniously in this poem of tragic intensity.

Muerto se quedó en la calle
con un puñal [18] en el pecho.
No lo conocía nadie.
¡Cómo temblaba el farol! [19]
Madre.   5
¡Cómo temblaba el farolito
de la calle!
Era madrugada.[20] Nadie
pudo asomarse [21] a sus ojos
abiertos al duro aire.   10
Que muerto se quedó en la calle
con un puñal en el pecho
y no lo conocía nadie.

V. *Malagueña* [22]

Into the tavern with its atmosphere of tragic foreboding, Death enters the swinging doors just like one of the regular patrons.

La muerte
entra y sale
de la taberna.

Pasan caballos negros
y gente siniestra   5
por los hondos [23] caminos
de la guitarra.

---

[18] **puñal** dagger.
[19] **farol** *The street lamp (or its variants) is often found in the poems as a witness to tragedy.*
[20] **madrugada** dawn.
[21] **asomarse** to look into.

[22] **Malagueña** *A popular tune, somewhat like the fandango, characteristic of the province of Málaga.*
[23] **hondo** deep.

Y hay un olor a sal [24]
y a sangre de hembra [25]
en los nardos [26] febriles   10
de la marina.

La muerte entra y sale
y sale y entra
la muerte
de la taberna.   15

VI. *La Lola*

Love, and not death, figures in these seven-syllable verses with as-
sonance in o.

Bajo el naranjo, lava
pañales de algodón.[27]
Tiene verdes los ojos
y violeta la voz.
¡Ay, amor,   5
bajo el naranjo en flor!

El agua de la acequia [28]
iba llena de sol;
en el olivarito [29]
cantaba un gorrión.   10
¡Ay, amor,
bajo el naranjo en flor!

Luego, cuando la Lola
gaste [30] todo el jabón,

---

[24] **sal**   salt.
[25] **hembra**   woman.
[26] **nardo** (**de la marina**)   sea lily
     (*spike with lilylike petals, very
     fragrant*).
[27] **pañales de algodón**   (infant's)
     cotton clothes.

[28] **acequia**   irrigation ditch; water-
     course.
[29] **olivarito**   *diminutive of* **olivar**
     olive grove.
[30] **gastar**   to use up.

vendrán los torerillos.[31]   15
¡Ay, amor,
bajo el naranjo en flor!

VII. *Clamor* [32]

*You will note in the beginning verses of this poem a "correspond-
ence" or synthesis of color and sound: the bronze of the bells
transfers its color tonality to the towers and to the wind, which pick
up their sound. Death appears again in this poem, personified as a
bride.*

En las torres
amarillas
doblan [33] las campanas.
Sobre los vientos
amarillos   5
se abren las campanadas.[34]

Por un camino va
la muerte, coronada
de azahares marchitos.[35]
Canta y canta   10
una canción
en su vihuela [36] blanca,
y canta y canta y canta.

En las torres amarillas
cesan las campanas.   15
El viento con el polvo
hace proras [37] de plata.

[31] **torerillo** (**torero**) young bullfighter.
[32] **clamor** knell, toll.
[33] **doblar** to toll.
[34] **campanada** ringing of a bell.

[35] **azahares marchitos** withered orange blossoms.
[36] **vihuela** guitar.
[37] **prora** *poetic for* **proa** prow. The
   wind makes silvery prows out of
   dust.

VIII. *Cueva* [38]

Cries of despair come forth from the darkness of the cave, perennial habitat of the gypsy. The poem could be called a study in color.

De la cueva salen
largos sollozos.
(Lo cárdeno [39]
sobre lo rojo.)

El gitano [40] evoca   5
países remotos.
(Torres altas y hombres
misteriosos.)

En la voz entrecortada [41]
van sus ojos.   10
(Lo negro
sobre lo rojo.)

Y la cueva encalada [42]
tiembla en el oro.
(Lo blanco   15
sobre lo rojo.)

IX. *Canción de jinete*

The sensation of foreboding and tragedy is again evoked by the color black, as well as by the numerous metaphors.

En la luna negra
de los bandoleros,[43]
cantan las espuelas.[44]

---

[38] **cueva**   cave.
[39] **cárdeno**   purple.
[40] **gitano**   gypsy.
[41] **entrecortado**   broken.

[42] **encalar**   to whitewash.
[43] **bandolero**   highwayman.
[44] **espuela**   spur.

Caballito negro,
¿Dónde llevas tu jinete muerto?   5

. . . Las duras espuelas
del bandido inmóvil
que perdió las riendas.[45]

Caballito frío.
¡Qué perfume de flor de cuchillo!   10

En la luna negra,
sangraba [46] el costado [47]
de Sierra Morena.

Caballito negro,
¿Dónde llevas tu jinete muerto?   15
La noche espolea [48]
sus negros ijares [49]
clavándose [50] estrellas.

Caballito frío.
¡Qué perfume de flor de cuchillo!   20

En la luna negra,
¡un grito! y el cuerno [51]
largo de la hoguera.[52]

Caballito negro,
¿Dónde llevas tu jinete muerto?   25

X. *Arbolé, arbolé* [53]

In one of Lorca's most artistically elaborated ballads, the girl re-

[45] **rienda**   rein.
[46] **sangrar**   to bleed.
[47] **costado**   (*mountain*) side.
[48] **espolear**   to spur. *Night is transformed into a horseman.*
[49] **ijar**   flank.
[50] **clavándose**   piercing with. *The stirrups seem to be pricking stars into its flanks.*

[51] **cuerno**   horn.
[52] **hoguera**   bonfire.
[53] **arbolé** = **árbol**. *In Spanish popular songs, the form and the accent of words are sometimes changed to accommodate them to musical rhythm, or to rhyme.*

ceives three invitations from young men who incarnate the soul of
the three great Andalusian cities: Córdoba, Sevilla, and Granada.
The suitor who wins her, however, is the wind.

> Arbolé, arbolé,
> seco y verdé.
>
> La niña del bello rostro
> está cogiendo aceituna.
> El viento, galán [54] de torres,   5
> la prende [55] por la cintura.
> Pasaron cuatro jinetes
> sobre jacas andaluzas [56]
> con trajes de azul y verde,
> con largas capas oscuras.   10
> "Vente [57] a Córdoba, muchacha."
> La niña no los escucha.
> Pasaron tres torerillos
> delgaditos [58] de cintura,
> con trajes color naranja   15
> y espadas de plata antigua.
> "Vente a Sevilla, muchacha."
> La niña no los escucha.
> Cuando la tarde se puso
> morada,[59] con luz difusa,   20
> pasó un joven que llevaba
> rosas y mirtos [60] de luna.
> "Vente a Granada, muchacha."
> Y la niña del bello rostro
> sigue cogiendo aceituna,   25
> con el brazo gris del viento
> ceñido por [61] la cintura.
>
> Arbolé, arbolé
> Seco y verdé.

[54] **galán** suitor.
[55] **prender** to grasp.
[56] **andaluz** Andalusian.
[57] **vente** (**venir**) *Do not translate the reflexive pronoun.*

[58] **delgadito** (**delgado**) slender.
[59] **morada** purple.
[60] **mirto** myrtle.
[61] **ceñido por** encircling.

EXERCISES *Poems I–VI*

I. *Cuestionario* (*the Roman numerals refer to the poems*).

    1. ¿Quiere el poeta tocar la guitarra después de su muerte? (ɪ)

    2. ¿Dónde quiere ser enterrado? (ɪ)

    3. ¿Por qué están llorando los lagartos? (ɪɪ)

    4. ¿Qué imagen se emplea para describir el sol? (ɪɪ)

    5. ¿Por qué es roja la luna? (ɪɪɪ)

    6. ¿Llegó el jinete a Córdoba? (ɪɪɪ)

    7. ¿Le parece a usted fatalista el poema? (ɪɪɪ)

    8. ¿Quién se quedó muerto en la calle? (ɪᴠ)

    9. ¿Cómo murió? (ɪᴠ)

    10. ¿Por qué temblaba el farolito? (ɪᴠ)

    11. ¿Qué pasa por los hondos caminos? (ᴠ)

    12. ¿Viene la muerte por el tabernero? (ᴠ)

    13. ¿Dónde está la Lola? ¿Qué hace? (ᴠɪ)

    14. ¿Quiénes vendrán a verla? (ᴠɪ)

    15. ¿Simboliza la muerte el cantar del gorrión? (ᴠɪ)

II.

A. *Substitute the pairs in parentheses for the verbs in the model below. Use the command in the singular and plural, affirmative and negative.*

    Cuando yo me muera, enterradme . . . (*llegar-pagar; irse-escribir; volver-decir; acostarse-cantar*)

B. *Substitute the pairs in parentheses for the subject and verb in the model below.*

    El lagarto está llorando. (*Yo-comer; niños-jugar; nosotros-sufrir; tú-decir*)

    Repeat, substituting seguir *for* estar.

C. *Substitute the nouns in parentheses for* camino *in the model below.*

    ¡Qué camino tan largo! (*calles, ríos, sala, sendas*)

III. *Translate the following sentences into Spanish.*

    1. When death comes, I will play my guitar.

    2. When death enters the tavern, the men continue drinking.

3. Her hair is black.
4. What a red moon!
5. Although I know the way [road], I'll never get to Córdoba.
6. No one knew that he was in the street.
7. She likes to wash the clothes before eating.
8. The young people laugh and the old cry.

EXERCISES *Poems VII–X*

I. *Cuestionario.*

1. ¿De qué color son las torres y los vientos? (VII)
2. ¿Por qué están doblando las campanas? (VII)
3. ¿Qué hace la muerte? (VII)
4. ¿Qué sale de la cueva? (VIII)
5. ¿Qué hace el gitano? (VIII)
6. ¿Qué color predomina en el poema? ¿Por qué? (VIII)
7. ¿De qué color es la luna? ¿Por qué? (IX)
8. ¿Dónde está el jinete muerto? (IX)
9. ¿Hay otro jinete en el poema? (IX)
10. ¿Qué hace la niña? (X)
11. ¿Quiénes pasan? (X)
12. ¿A cuál de los galanes prefiere la niña? (X)

II. *Complete the sentences below by selecting an appropriate word from the following list.*

aceituna	iglesia	rostro
torre	cintura	traje
camino	caballito	país

1. En las ＿＿＿＿＿ doblan las campanas.
2. Por un ＿＿＿＿＿ va la muerte.
3. El gitano evoca ＿＿＿＿＿ remotos.
4. ＿＿＿＿＿, ¿dónde llevas tu jinete muerto?
5. La niña del bello ＿＿＿＿＿ no va a Córdoba.
6. El viento la prende por la ＿＿＿＿＿.
7. Los torerillos llevan ＿＿＿＿＿ color naranja.
8. La niña sigue cogiendo ＿＿＿＿＿.

III. *Express, in Spanish, the opposite of the italicized words in the sentences below.*

1. Sobre los vientos *se abren* las campanadas.
2. Por un camino va *la muerte*.
3. En las torres *cesan* las campanas.
4. Torres *altas* y hombres misteriosos.
5. En *la luna negra* cantan las espuelas.
6. El bandido *perdió* las riendas.
7. En la luna negra, ¡un *grito!*
8. Pasaron los jinetes con *largas* capas *oscuras*.
9. Pasaron tres torerillos *delgaditos* de cintura.
10. La niña *sigue cogiendo* aceituna.

IV. *Translate the following sentences into Spanish.*

1. Do you see death going along that road?
2. The gypsies are coming out of the cave.
3. They still live in Spain and in other countries.
4. Have you ever seen a black moon?
5. The little horse took me home.
6. If she were not pretty, they wouldn't speak to her.
7. She blushed [became red] when a youth brought her a rose.
8. Come to Córdoba, they said, but she continued to pick the flowers.

Vocabulary

The following are not included in the vocabulary: a small number of easily recognizable cognates; many expressions occurring only once and already translated in a footnote; articles, pronouns, numerals, days and months; most diminutives and adverbs ending in -mente; and the feminine forms of most adjectives. Gender is not indicated for masculine nouns ending in -o, or for feminine nouns in -a, -dad, -ión, -tad, -tud.

The following abbreviations are used: *adj.*, adjective; *adv.*, adverb; *coll.*, colloquial; *excl.*, exclamation; *f.*, feminine gender; *inf.*, infinitive; *m.*, masculine gender; *n.*, noun; *prep.*, preposition; *v.*, verb.

abajo down; below
abandonar to abandon, forsake
abanico fan
abatido dejected
abatimiento depression, dejection
abismo abyss
abrasar to burn
abrazar to embrace
abrazo hug, embrace
abrir to open
absorber to absorb
abuela grandmother
abuelo grandfather
abulia apathy
aburrido boring, bored
aburrir to bore; ——se to get bored
abusar to go too far; to impose
acabar to finish; to end; ——se to come to an end
acacia acacia
acariciar to caress; to love
acaso perhaps; **por** —— by chance
acceder to accede; to agree
aceite *m.* oil
aceituna olive
acelerador accelerator (*auto.*)
acelerar to accelerate
acento accent, tone

acequia irrigation ditch, watercourse
acera sidewalk
acerca de about, concerning
acercar to bring near; ——se a to approach
acertar to guess right; to be right; —— a + *inf.* to succeed in; to happen to
aclarar to clear, to make clear
acodar to lean the elbow upon
acomodarse to comply, to adapt oneself
acompañante *m.* companion, attendant
acompañar to accompany
acordar to agree; ——se de to remember
acordeón *m.* accordion
acostumbrar to accustom; to be accustomed
actitud attitude
activar to activate; to expedite
acto act
actriz actress
actual present, at the present time
actualidad present time; **en la** —— at the present time
acuerdo agreement; **estar de** —— to agree

adelantarse to move forward

adelante forward, go ahead! come in!

además besides, moreover

adentro inside

adivinar to guess, to figure out

adjetivo adjective

admirador admirer

admirar to admire; to surprise; ——se to wonder

admitir to admit

adolescencia adolescence

adorar to adore

adornar to adorn

adquirir to acquire

adúltero adulterous

advertir to notice; to observe; to advise

afición fondness, taste, inclination

aficionado fond (of), devoted (to)

afilado sharp

afilar to sharpen

afirmar to affirm, to assert

afrenta affront

afueras f. outskirts, suburbs

agacharse to squat; to crouch

agarrar to grasp; to seize

ágil agile

agitar to shake, to stir, to wave

agradar to please

agradecer to be grateful (for), to thank (for)

agregar to add

agrícola agricultural

agua water

aguantar to endure; to tolerate

aguardar to await

agudo sharp, acute

agujero hole

ahí there

ahogar to choke; to suffocate; to drown

ahogo m. shortness of breath, suffocation; tightness (of the chest, etc.)

ahora now; **hasta** —— see you soon

aire m. air, importance

álamo poplar

alargar to lengthen; to stretch

alarmarse to become alarmed

alba dawn

alcance **al** —— **de** within reach of

alcanzar to reach; —— **a** + inf. to manage to

alcurnia ancestry, lineage

aldea village

alegre gay

alegría joy, happiness

alejar to remove to a distance

aleluya hallelujah

alemán German

alfabeto alphabet

alfalfa alfalfa

alfombra rug

alfombrar to carpet

algo something, somewhat

alguno some, someone, any

aliento breath

alimentación food, nutrition

alimento food, nourishment

alinear to line up

allá there; **por** —— thereabouts, back there

alma soul

almendro almond tree

almohada pillow

alojamiento lodging, room

alrededor around; —— **de** around, about; **a su** —— around him

alterar to alter; to change

altivo proud, haughty, arrogant

alto tall, high; **en lo** —— at the top, on top (of)

altozano hillock, knoll

altura height

alumbrar to light, light up

alumno pupil

alzar to raise, lift

amable friendly, kind, amiable

amada   beloved (one)
amanecer *m.* dawn, daybreak; **al**
—— at daybreak; *v.* to dawn
amante   lover; *adj.* fond, loving
amar   to love
amargar   to spoil; to embitter
amargo   bitter, dolorous
amargura   bitterness
amarillento   yellowish
amarillo   yellow
amarrar   to moor, tie up
ámbar   amber
ambiente *m.* atmosphere, environment; place, area
ambulancia   ambulance
amenazar   to threaten
amigo   friend
amo   master
amor *m.* love
amoroso   amorous, loving, affectionate
amplio   ample, full
anarquista   anarchist
ancho   wide
anciano   old, ancient
andaluz   Andalusian
andar   to go; to walk; to travel;
to be (healthy)
ángel *m.* angel
ángulo   angle, corner
anhelo   yearning, longing
animar   to animate, to enliven
ánimo   spirit, courage
ansia   yearning, anxiety
ansioso   anxious
ante   before
anteayer   day before yesterday
antebrazo   forearm
antes   before, rather
anticuado   antiquated, obsolete
antiguo   ancient, old, former
anunciar   to announce; to adver-
tise
anuncio   announcement, adver-
tisement
añadir   to add
año   year

apagar   to put out; to extinguish;
to soften (*colors*)
aparador   display case *or* shelf;
sideboard
aparecer   to appear
apartado   isolated, retired
apartar   to push away, to take
aside; ——**se** to move away,
to withdraw
aparte   aside (*remark*)
apenas   scarcely, hardly
apetecer   to long for
apetito   appetite
apetitoso   appetizing
aplastar   to flatten; to crush
aplicado   industrious
apoyar   to lean; to rest
apreciar   to appreciate; to ap-
praise
aprender   to learn
aprensión   apprehension, strange
idea
apresurado   hurried, quick
apretar   to squeeze; to press; to
tighten
aprieto   jamming, crush, difficulty
aprobar   to approve
aprovechar   to profit by; to make
good use of
aproximarse   to come near
aptitud   aptitude
apurar   to empty; to drain; to
consume
árbol *m.* tree
arboleda   grove
arco iris *m.* rainbow
arder   to burn
ardiente   burning, ardent
ardientemente   ardently
arena   sand
argentino   silvery
arma   arm, weapon
armonía   harmony
aromar   to give an aroma
arrancar   to tear away; to pull
out
arrastrar   to drag

arreglar to adjust; to arrange; to fix

arriba above, upstairs

arrodillado kneeling

arrodillarse to kneel down

arrojar to throw

arroyo brook, stream

arruga wrinkle, crease, fold

arrugar to wrinkle; to crease

arruinar to ruin; to destroy

arte art

artesano artisan, laborer

articular to articulate; to utter

artículo article

artillería artillery

artístico artistic

arzobispado archbishopric

asar to roast

ascender to ascend; to mount; to climb

ascetismo asceticism

asegurar to assure; to assert

asentir to assent

asesinar to murder, assassinate

asesinato murder

así thus, so; —— **que** as soon as, as

asignatura course (*in school curriculum*)

asir to seize; to grasp; ——**se** to take hold

asistir to assist; —— **a** to attend

asociar to associate; to take as partner

asomar to show, to stick out, to appear; ——**se a** to peep into

asombro fear; amazement; wonder

aspecto aspect

áspero rough, harsh, bitter, gruff

aspirante applicant, candidate

aspirar to draw in; to inhale

astro star

asunto matter, business, affair

asustar to frighten; ——**se** to be *or* become frightened

atacar to attack

ataque *m.* attack

atardecer *m.* late afternoon; *v.* to draw towards evening

atención attention

atender to attend, to attend to; to take care of; pay attention to

atener to abide, to depend; ——**se a** to abide by, to rely on

atento attentive

aterrar to terrify

atractivo attractiveness, charm

atraer to attract

atrapar to catch

atrás back; **hacia** —— backwards

atravesar to cross; to go through

atrever to dare; ——**se a** + *inf.* to dare to

atropellar to knock down

augurio augury

aun (**aún**) even, still, yet

aunque although, even though

aurora aurora, dawn

ausente absent

austero austere

austríaco Austrian

autoridad authority, power

avergonzar to shame, to embarrass; ——**se** to be ashamed

aviador *m.* aviator

ávidamente avidly

avisar to advise; to inform

¡ay! alas!; **¡ay de mí!** woe is me!

ayer yesterday

azahar *m.* orange flower

azul blue

bachillerato secondary school diploma

bahía bay

bailar to dance

bailarín *m.* dancer

bajar to go down; to lower

bajo low; *prep.* under; *adv.* below

balancear to rock, swing; ——se to rock

balcón *m.* balcony, large window

banco bench

bandeja tray

bandido bandit

bandolero brigand, robber, highwayman

bañar to bathe; to dip

baño bath

barato cheap

bárbaro barbarous; wild

barca boat

barco boat

barrio suburb, quarter, district

basar to base

bastante enough, rather

bastar to suffice; to be enough

bastón cane, walking stick

bayoneta bayonet

beatífico beatific, blissful

beber to drink

bebida drink

bello beautiful

bendecir to bless

bendito blessed

besar to kiss

biblioteca library

bicho beast, animal

bien well; **más** —— rather

bigote *m.* moustache

bizquear to squint; to cross one's eyes

blanco white

blancura whiteness

blandir to brandish

blando soft, tender, gentle

blandura softness, gentleness

blanquecino whitish

bobada foolishness, nonsense

boca mouth

bocado morsel, mouthful

boda marriage, wedding

boga vogue

boina beret

bola ball

bolsillo pocket, bag

bomba bomb

bondad kindness; **tener la** —— (**de**) please

bonito pretty

bordar to embroider

borde *m.* edge, shore

borracho drunk

botella bottle

boxeador *m.* boxer

brazo arm

breve brief, small, short

brillante shining, bright, brilliant

brillar to gleam; to shine

brincar to jump, to gambol

brisa breeze

broma joke, jest

bronce *m.* bronze

brujo sorcerer, magician, wizard

brusco brusque, sudden

Bruselas Brussels

brutalidad brutality, stupidity

bruto brute, brutish, stupid, rough

bueno good, fine, O.K., well, then

buey *m.* ox, steer

bufanda scarf, muffler

burgués bourgeois, middle-class

burla ridicule, joke, jest, trick, deception

burlador *m.* seducer of women

burro ass, donkey

buscar to seek, to look for; **en busca de** in search of

butaca armchair, easy chair

caballería cavalry

caballero knight, nobleman, gentleman

caballo horse

cabaña cabin, hut

cabellera head of hair

cabello hair

caber to have room for; to fit; to befall; to remain

cabeza head

cabo end; al —— finally

cabra goat

cada each, every

cadáver *m.* corpse

caer to fall; ——se to fall down

café *m.* coffee, café

caja box

cajón *m.* big box, drawer, desk

calcular to calculate

cálculo calculation

cálido warm, hot

caliente warm, hot

callado silent

callar to be quiet; to keep silent

calle *f.* street

calleja side street, alley

calma calm

calor *m.* heat, warmth

calzar to put shoes on

cama bed

cámara camera

cambiar to change

cambio change, exchange; en —— on the other hand; a —— in exchange

caminante walker; traveler; passer-by

caminar to walk; to move; to go

camino path, road, journey; —— de on the way to

camisa shirt

campamento camp; encampment

campana bell

campanilla little bell; bell flower

canasto hamper, basket

canción song

cándido candid, innocent, shy

caníbal cannibal

cansado tired

cansancio weariness

cantar to sing; *m.* song

cántaro pitcher, jug

cantidad quantity

canto singing

cañuela fescue grass

caos *m.* chaos

capa cape

capitán *m.* captain

capricho caprice, whim

cara face

carácter *m.* character

característico characteristic

caramba *excl.* confound it! gracious!

cárcel *f.* jail

carecer to lack

cargar to load

caricatura caricature

caricia caress

cariciar (acariciar) to love; to caress

caridad charity, love

cariño love, affection

carne *f.* meat, flesh

caro dear, expensive

carrera race, course, career, road

carretera highway, road

carta letter, playing card

cartera wallet

casa house, firm

casar to marry; ——se to marry, to get married

caseta stall, booth

casi almost

caso case, thing, situation; **hacer** —— a to heed, to pay attention to

castellano Castilian, of Castilla

castigo punishment

castillo castle

casual casual, accidental

casualidad chance; **por** —— by chance

catarata cataract, waterfall

cebolla onion

ceder to yield

cegador blinding

cegar to blind

ceguera blindness

celda cell

celebrar to celebrate; to welcome; to be glad

celeste celestial

celoso jealous
cementerio cemetery
cemento cement, concrete
centavo cent
céntimo cent (*one hundredth of a peseta*)
céntrico downtown; centric
cerca near, nearby; —— **de** near
cerebro skull, head, brain
cerrar to close
certeza certainty
Cervantes (1547–1616) creator of *Don Quijote*
cerveza beer
cesar to cease; —— **de + inf.** to cease + *gerund*
cien (ciento) hundred
ciencia science, knowledge; a —— **cierta** with certainty
cierto sure, certain; **por** —— surely; **de** —— certainly
cifra cipher, figure
cigarro cigar
cinematógrafo (cine) motion picture theatre
cinta ribbon, band, strip
cintura waist
ciprés *m.* cypress tree
circo circus
círculo circle
cita reference, quotation; appointment
citar to quote; to cite; to make an appointment
ciudad city
ciudadano citizen
civilización civilization
clamar to exclaim; to cry out
clarear to light; to give light to
claro clear, bright, obvious, of course; **a las claras** clearly
clase *f.* class, kind
clavar to stick, to nail
cliente *m.* client, customer
clientela clientele; customers
clima *m.* climate, weather
cloroformo chloroform
cobarde coward

cobrar to collect; to recover
coche *m.* car, automobile
coche-cama *m.* sleeping car (train)
cochino dirty, filthy
cocina kitchen, cuisine
cocodrilo crocodile
codiciar to covet
codo elbow
coger to pick; to seize; to grasp; to take; to come upon
cohesión cohesion
coincidir to coincide; to meet
cojear to limp
cojo lame, crippled
colección collection
coleccionista *m.* collector
cólera anger
colgado hanging
colgar to hang
colmar to heap up; to fill
colocar to place; to put
color *m.* color
colorado red
combate *m.* combat
combatir to combat; to fight
comedor dining room
comentar to comment on; to relate
comentario commentary
comenzar to begin
comer to eat
comercio trade, commerce
cometer to commit
cómico comical, ludicrous
comida meal, food
como like, as, as if, since; **¿cómo?** how?; **¡cómo!** what!
compañera, compañero companion, friend, schoolmate
compañía company, society
comparar to compare
compasión compassion, sympathy
completo complete; **por** —— completely
componer to compose
comprar to buy

comprender to understand
comprobar to check, verify
común common
comunicativo communicative
concebir to conceive
conceder to grant
concentrar to concentrate
conciencia conscience, conscious-ness, awareness
concluir to conclude
concretar to make concrete; to explain
concurrir to gather; to come to-gether
concurso contest
condecorar to decorate
condenar to condemn; to damn; to convict
condición condition, state, sta-tus
conducir to lead; to conduct; to drive
confesar to confess
confiado trustworthy, confiding
confianza confidence
confiar to entrust
confundir to confuse
congelarse to congeal; to freeze
congestionar to congest
conjunto whole, aggregate; *adj.* united, connected
conmovido moved, stirred
conocedor (**de**) expert in, fa-miliar with; *m.* connoisseur, ex-pert
conocer to know; to distinguish
conque and so, so then
conquista conquest
consagrar to consecrate
consciente conscious
conseguir to obtain; to get
consentir to consent; —— **en** to consent to
conservar to conserve; to keep
consideración consideration
considerar to consider
constante constant

constituir to constitute; to estab-lish
constructor *m.* builder
consuelo consolation, joy, com-fort
consultar to consult; to advise
contar to count; to relate; to tell
contener to contain
contento content, happy
contestar to answer
continuar to continue
continuo continuous; **de** —— continuously
contra against, versus
contrabando contraband; smug-gling
contrariar to contradict; to vex; to annoy
contrario contrary, opposite; **de lo** —— on the contrary
contribuir to contribute
convaleciente convalescent
convencer to convince
conveniente suitable, fit, advan-tageous
convenir to be suitable; to agree
conversar to converse
convertir to convert
convidar to invite
copa cup, drink, glass, treetop
copiar to copy; to imitate
copla ballad; popular song
copo flake
corazón *m.* heart
corbata tie
coro chorus; **a** —— in chorus, together
corona crown
coronar to crown; to cap
corredor *m.* corridor
corregir to correct
correo mail; **echar al** —— to mail
correr to run; to travel; —— **mucho mundo** to travel a lot
corrida course, race; —— **de toros** bullfight

corriente *adj.* common, ordinary, running; *f.* current, stream; **estar al —— de** to know, to keep up with

corro circle, ring

cortar to cut

cortesía courtesy

cortina curtain

corto short

cosa thing; —— **de** about

cosmos *m.* cosmos, universe

costa cost; coast, shore

costar to cost

costumbre *f.* custom, habit

crear to create

crecer to grow, increase

crecido large, big, full-fledged

creciente crescent; growing

crédulo credulous

creer to believe; to think

creíble credible, believable

creyente believer

criada servant, maid

criado servant

criatura creature; infant

crisol *m.* crucible

cristal *m.* crystal, pane of glass, mirror, eyeglass

cristalino crystaline

cristianismo Christianity

cristiano Christian

Cristo Christ

crítica criticism

crítico critic; *adj.* critical

crucifijo crucifix

cruz *f.* cross

cruzar to cross

cuadra stable

cuadro painting, portrait

cuajar to take shape

cual like, as, as if

cualidad quality

cualquiera some, any; someone, anyone

cuando when; **de —— en ——**, **de vez en ——** from time to time

cuanto as much as, whatever, all that which; (*plural*) those who; **en ——** as soon as; **unos cuantos** some few

cuartilla sheet of paper

cuarto room

cubano Cuban

cubierto covered

cubrir to cover

cuchillo knife

cuello neck, collar

cuenta bill, account; **darse —— de** to realize

cuento short story

cuero leather, rawhide

cuerpo body

cuestión question, matter, business

cuidado care; **con ——** carefully

cuidar to be careful, to take care (of)

culpa fault, guilt; **echar la —— a** to blame

culto cult

cultura culture

cumbre *f.* summit

cumplir to execute; to fulfill

cúpula cupola, dome

cura cure, care; *m.* priest

curación cure, healing

curar to cure; to heal; to recover

curiosidad curiosity; **tener ——** to be curious

champaña champagne; **vino de ——** champagne

chaqueta jacket

charlar to chat, talk

chico child, youngster, lad; *coll.* "old boy"; *adj.* small

chillar to shriek

chimenea chimney, fireplace

chino Chinaman, Chinese

chispa spark

chocar to shock; —— **con** to collide

chófer *m.* driver
churro fritter

dama lady
Danubio Danube river
dañar to injure; to harm
daño *m.* injury, harm
dar to give; to strike (*the hour*); —— **con** to come upon; ——**se** to occur; —— **a** to face
Darwin (1809–1882) author of *The Origin of Species* and *The Descent of Man*
de of, with, from
debajo de beneath, under
deber to owe; to have to
debido just, reasonable, proper
débil weak
debilidad weakness
decadente decadent
decepción deception, disappointment
decidir to decide; ——**se** to decide, to be determined
decisivo decisive
declamación declamation
declarar to declare
dedicar to devote; to dedicate
dedo finger
defensa defense
dejar to leave, to abandon; ——**se** to allow oneself; —— **de** + *inf.* to cease, to stop; **no** —— **de** + *inf.* to not fail to; —— **plantado** to jilt
delantal *m.* apron
delante before, in front; **por** —— **de** in front of; —— **de** (**a**) in front of
delgado thin, slender
delicioso delicious, delightful, charming
demás other, rest of; **lo** —— the rest
demasía excess; **en** —— too much, excessively
demasiado too, too much

demócrata democratic
demonio devil, demon
demostrar to demonstrate; to prove; to teach
dentadura set of teeth
dentro inside, within; —— **de** inside (of)
depender (**de**) to depend (on)
derecha right hand, right side; **a la** —— to the right, on the right
derecho right, straight; *m.* right, privilege
derivar to derive
derramar to pour out; to scatter
derrumbar to crumble, collapse
desacuerdo discord, disagreement
desagradable disagreeable
desagrado displeasure
desahogo unburdening, relief
desaparecer to disappear
desarrollo development, unfolding
desayunar to breakfast; ——**se** to have breakfast
descalzo barefoot
descansar to rest
descanso rest
descender to descend
descolgar to take down
descolorido discolored
descolorir to discolor
desconcertar to disconcert; to disturb
desconfianza distrust
desconocido unknown; unknown person
descontar to discount; to deduct
descubrir to discover, to uncover; ——**se** to take off one's hat
desde since, from, after; —— **que** since
desdén *m.* disdain, scorn
desdentado toothless

desdichado wretch, unfortunate person

desear to want; to desire

desesperarse to despair

desgracia misfortune, disgrace; **por** —— unfortunately

desgraciado unfortunate, unlucky

desierto deserted; *m.* desert

deslizar to slide; to glide

desmán *m.* excess, mishap

desnudar to undress

desnudo naked, bare

desolación desolation

despachar to dispatch, to expedite; to settle

despacho office, study

despacioso sluggish, slow

despavorido terrified, aghast

despedirse to leave; to say goodbye

despertar to awake; ——**se** to wake up

despoblado depopulated, deserted

despreciar to despise; to scorn; to rebuff

desprecio scorn, contempt

despreocupado unworried, unconcerned

después after, later

destacar(se) to stand out

destello sparkle, flash

destino destiny, fate

destrozar to destroy; to break to pieces; to shatter

desván *m.* attic, garret

desvendarse to take a bandage off

detalle *m.* detail

detener to stop; to hold back; to check; ——**se** to stop

detrás de behind

devoción devotion

devolver to return

devorar to devour

devoto devout, devoted

día *m.* day; **de** —— in the daytime

diablo devil

diadema diadem

diagonal **en** —— diagonally

diálogo dialogue

diamante *m.* diamond

dicha happiness, good fortune

dichoso happy, fortunate

diente *m.* tooth

diferente different

difuso diffused

digno worthy

diminutivo diminutive

Dios *m.* God; **por** ——, **Dios mío** for heaven's sake, goodness, etc.

director *m.* director, editor, manager

dirigir to turn, to direct; ——**se** to go

dicípulo disciple, pupil

disculpa apology, excuse

discurso discourse, speech

discusión discussion

disgusto displeasure, annoyance

dispensar to excuse; to pardon

disperso dispersed, scattered

displicente disagreeable, peevish

disposición disposition, aptitude, disposal

disputar to dispute; to debate; to argue over

distancia distance

distinción distinction

distinguir to distinguish; ——**se** to be different

diverso different, varied

divertido amusing

divertir to amuse; ——**se** to have a good time

divino divine

doblar to turn (*a corner*); to fold, to bend

docena dozen

dócil docile

doctrina doctrine

documental *m.* documentary film

dólar *m.* dollar

doler to hurt

dolor *m.* pain, grief; —— **de cabeza** headache

doloroso painful, pitiful

dominar to dominate, control

domingo Sunday

don *m.* gift, talent

donde where

dorado golden, gilt

drama *m.* play, drama

dueño owner, proprietor

duda doubt

dudar to doubt

dulce sweet, gentle, pleasant, soft

dulcificar to soften

dulzura sweetness, gentleness

duque duke

duración duration; length

durar to last

dureza harshness, hardness

duro hard, harsh; *m.* coin worth five pesetas

ea *excl.* hey!

echar to throw, to hurl, to lie down; **echarle a uno en cara** to accuse, reproach; —— **a** to start to, to begin

eclipse *m.* eclipse

eco echo

edén *m.* Eden (*biblical and figurative*)

edificio building, edifice

efectivamente really, actually

efecto effect; **en** —— indeed, as a matter of fact

egoísta egoistic; *m.* egoist

ejemplar copy (*of book*)

ejemplo example; **por** —— for example

ejercer to exercise

ejercicio exercise

ejército army

elaborado elaborated, wrought

elegir to choose; to elect

elevar to elevate; ——**se** to rise, to ascend

embargo embargo, restriction; **sin** —— nevertheless

emborrachar to intoxicate; to get drunk

embriagar to intoxicate

embustero liar

eminente eminent

emoción emotion

emocionar to move; to stir; to touch

emotivo emotive, emotional

empedrado paved

empeñarse (en) to insist (on)

empezar to begin

emplear to employ; to use

empleo use

empujar to push; to impel

enamorador *m.* lover, suitor

enamorar to enamor, to inspire love in

encaje *m.* lace; inlay

encantador enchanting, charming

encanto charm, fascination, delight

encargar to entrust, to order; ——**se de** to take charge of, to be entrusted with

encarnado red; **ponerse** —— to blush

encender to light

encendido bright, inflamed, red

encerrar to shut in; to lock up; to confine

encierro confinement, prison

encima above; **por** —— **de** over

encontrar to find

encorvar to bend; to stoop

encuentro meeting, encounter

enderezar to straighten

enemigo enemy

energía energy

enérgicamente energetically

enfadar to annoy, to anger; ——**se** to get angry
enfermar to get sick
enfermedad sickness, illness
enfocar to focus
enfrente in front, opposite; **de** —— opposite
engañar to deceive; to cheat
engaño deceit, fraud, mistake
enloquecer to drive crazy; to madden
enmienda correction, amends
enojado cross, angry
enorme enormous
enrojecer to redden; to blush; ——**se** to turn red
ensalada salad
ensalzar to extol; to exalt
enseñanza teaching, instruction, education
enseñar to teach; to show
ensombrecer to darken; ——**se** to become sad, to grow dark
ensueño dream, daydream
entender to understand; to believe
entendimiento understanding
enterar to inform, to acquaint, to advise; ——**se** to find out
entero entire, whole
enterrar to bury
entonces then; **para** —— by that time; **en ese** —— at that time
entrada entrance; admission ticket
entrar to go in; to enter
entre between, among
entregar to deliver; to hand over
entrever to glimpse; to suspect
entristecer to sadden; ——**se** to become sad
entusiasmar to enthuse; to enrapture; to make enthusiastic
entusiasmo enthusiasm
entusiasta enthusiastic; *m.* enthusiast

enviar to send
envidia envy
envidiable enviable
envidiar to envy
envidioso envious
envolver to wrap; to wrap up
época epoch, era
equivocación mistake
equivocarse to be mistaken; to make a mistake
errabundo wandering
errante wandering, roving
errar to wander; to roam
escalera stairway, stair, ladder
escalofrío chill; thrill; fright
escalón *m.* step, rung
escándalo noise, uproar
escapar to save, to escape; ——**se a** to escape from (*a person*)
escaso scant, scarce, few
escena scene, incident, episode
esconder to hide; to conceal
escondrijo hiding place
escribir to write
escritor *m.* writer
escrupuloso scrupulous
escuchar to listen to
escudero page, squire
escudo coat of arms, escutcheon
escuela school
esencia essence
eso that; —— **de** that business (matter) of; **a** —— **de** about
espacio space
espada sword
espalda back
espanto fear
espantoso fearful, frightful
español Spanish
especial special
especialidad specialty
especie kind, sort, species
específico specific
espectáculo spectacle
espectador *m.* spectator
espejo mirror
esperanza hope

esperar to hope; to wait; to expect

espeso thick

espiar to spy; to be on the lookout for

espíritu *m.* spirit, ghost

espiritual spiritual

espiritualidad spirituality, liveliness, susceptibility

espuela spur

esquina corner

establecer to establish

establecimiento establishment; place of business

estación station, season

estacionar to park (*a car*); ——se to park

estadística statistics

estado state

estafar to defraud; to swindle

estancia room

estante *m.* shelf

estar to be; —— por to be in favor of

estatua statue

estilo style

estimular to stimulate

estirar to stretch (out)

estómago stomach

estorbar to hinder; to obstruct

estrechar to tighten; to hug, to squeeze

estrecho narrow, close

estrella star

estremecer to shake

estrofa stanza

estudiante student

estudio study

estudioso studious

estupidez *f.* stupidity

estúpido stupid

estupor *m.* stupor, amazement

eterno eternal

Europa Europe

evitar to avoid; to prevent

evocador evocative

evocar to evoke

exacto exact, faithful, complete

exagerar to exaggerate

examinar to examine; to look over

exasperar to exasperate

excesivo excessive

excitar to arouse; to excite

exclusivo exclusive

existir to exist

éxito end, success

expectación expectation, expectancy

experiencia experience, experiment

experimentar to experience; to feel

explicación explanation

explicar to explain

explotar to exploit

exponer to expose; to explain

expresión expression

expulsar to expel, expulse, drive out

exquisito exquisite, excellent

extasiar to enrapture

éxtasis *m.* ecstasy, rapture

extender to stretch out; to spread

exterminar to exterminate

externo external, outside

extranjero foreign, foreigner; por el —— abroad

extraño strange, rare

extremado extreme, excessive

fábrica factory

facción feature (*facial*)

fachada façade

fácil easy, loose, wanton

falda skirt, fold, slope

fallecer to die

falso false

falta lack, mistake; hacer —— to need, to be necessary

faltar to need, to lack; ¡no faltaba más! That's the limit! The very idea!

fama fame, reputation

familia family
familiar domestic, homelike, familiar, plain
fanático fanatic
fantasma *m.* phantom
farmacia pharmacy, drugstore
farol *m.* street lamp
farsa farce, absurdity
fascinar to fascinate
fase *f.* phase
fastidiar to annoy; to bore
fatalista fatalist, fatalistic
favorecer to favor
fe *f.* faith
febril feverish
felicidad happiness
feliz happy
femenino feminine
feo ugly
feria fair; market; deal, agreement
feroz ferocious
ferrocarril *m.* railroad, railway
fértil fertile
ferviente fervent
fiebre *f.* fever
fiel faithful
fiera wild animal
fiesta feast, festival, festivity, celebration
figura figure, face, countenance
figurar to figure, to represent; ——se to imagine
fijarse to imagine; —— en to notice
fijo fixed
fila row, line
filarmónico philharmonic
filosofía philosophy
filósofo philosopher
fin *m.* end; al —— finally; por —— finally
final *m.* end
fino fine, delicate, thin, slender
firme firm, hard
fisionómico facial
flaco weak, thin

flor *f.* flower, blossom; **en** —— in bloom
florecer to flower; to bloom
florido flowery, elegant
fondo back, depth, bottom, background
forastero outsider, stranger
forma form, way
fortuna fortune
fotógrafo photographer
fracaso failure, collapse
fragancia fragrance
frágil fragile, frail
francés French, Frenchman
franco frank, open
franqueza frankness, ingenuousness
frasco bottle, flask
frase *f.* phrase, sentence
fraternidad fraternity
fray brother (*religious*)
frecuencia frequency; **con** —— frequently
frecuentar to frequent
frecuente frequent
freír to fry
frente *f.* forehead; —— a —— face to face; —— a in front of
frescar *m.* freshness; coolness
fresco fresh, cool; *n.* fresh air, coolness
frescura freshness, coolness
frívolo frivolous
frotar to rub
frustrar to frustrate; to thwart
fruta fruit
frutal *m.* fruit tree
fuego fire
fuelle *m.* bellows
fuente *f.* fountain
fuera out, outside; **de** —— outside; **por** —— on the outside
fuerte strong, severe
fuerza force, strength, power; **a** —— **de** by dint of
fugitivo fugitive, fleeting
fulgor *m.* brilliance, flash

fumar to smoke
función function; show, perform-ance
fundir to fuse; to blend; to unite; to cast (*metal*)
fúnebre funereal, gloomy
furtivo furtive, clandestine
futuro future

gabinete cabinet; study
gafas eyes glasses
galán *m.* suitor
gallina hen
gana desire; **tener ganas de +** *inf.* to feel like
ganado cattle, livestock
ganancia gain, advantage
ganar to gain; to win; to make (*money*)
garaje garage
gastar to spend; to waste; to wear out
gato cat
generación generation
género kind, sort, genre
generoso generous
genio temperament, genius, tal-ent
gente *f.* people, servants, retinue
germano German
gesto grimace, gesture
gitano gypsy
Goethe (1749–1832) *German poet and thinker; one of the great men in world literature*
golondrina swallow
golpe *m.* knock, blow; **de un —— suddenly
golpecito tap
goma gum
gordo fat, greasy, coarse
gorra cap
gorrión *m.* sparrow
gota drop
gozar to enjoy; —— **de** to enjoy
gracia gracefulness, elegance, graciousness

gracias thanks, thank you
gracioso attractive, witty
grande big, large, great; *n.* gran-dee
grato pleasing
grave grave, serious
griego Greek
gris gray
gritar to cry out; to shout; to scream
grotesco grotesque
guante *m.* glove
guardar to keep; to hide
guardia *m.* guard, policeman
guardián *m.* guardian
guardilla attic
guerra war; **dar ——** to annoy
guerrero warrior, soldier
guía guide; —— **de teléfonos** telephone directory
guisar to cook
guitarra guitar
guitarrista guitarist, guitar player
gustar to be pleasing
gusto pleasure, taste; **a ——** to one's liking, at ease

haber to have; **hay, había, hubo,** etc. there is (are), there was (were), etc.; —— **que +** *inf.* to be necessary (impersonal); —— **de +** *inf.* to be (sup-posed) to; **he aquí** here is, this is
habitación room
habitar to inhabit; to occupy
hábito habit
hace ago
hacer to do, to make; ——**se** to become; **hacérsele a uno** to seem . . . to one; **no —— ni fu ni fa** to pay no attention
hacia to, toward
harmonía harmony
hartar to gratify; to satisfy
hasta *adv.* even; *prep.* until, till, to, up to

hay   there is (are); **¿qué ——?** What's the matter?

he aquí   here is, behold

hechicero   bewitching, enchanting

hecho   fact, deed, event

Hegel (1770–1831)   *German philosopher*

helar   to freeze

helecho   fern

henar *m.*   hayfield

heredar   to inherit

herir   to hurt; to wound

hermana   sister

hermoso   beautiful

héroe *m.*   hero

hidalgo   noble, illustrious

hierba   grass, herb

hierro   iron

hígado   liver

hija   daughter, child

hijo   son, child

hinchar   to swell

hinojos   de ——   on one's knees

hipócrita   hypocritical; *m.* and *f.* hypocrite

historia   history

hocico   snout, nose (*animal*)

hogar *m.*   hearth, home, house

hoja   leaf, blade

¡hola!   hello! *also, a shout to draw someone's attention*

hombre   man; *excl.* you don't say! gosh!, etc.

hombro   shoulder

honrado   honorable, honest

honrar   to honor

hora   hour; **a primera ——**   very early

horizonte *m.*   horizon

horroroso   horrid, horrible

hostil   hostile

hoy   today

huerta   vegetable garden

huerto   orchard, garden

hueso   bone

huevo   egg

huir   to flee

humanidad   humanity

humedad   humidity, dampness

humedecer   to moisten, dampen

húmedo   wet, damp

humildad   humility

humilde   humble

humillar   to humiliate; to humble

humo   smoke

hundir   to sink; to overwhelm; to destroy

idioma *m.*   language, dialect

iglesia   church

ignominia   ignominy

igual   equal, same; **—— que**   like

igualar   to equalize; to make equal

igualdad   equality

iluminado   lighted

iluminar   to illuminate

ilusión   illusion

ilustre   distinguished, illustrious

imagen *f.*   image

imbécil   imbecile

imitar   to imitate

impacientarse   to grow impatient

impaciente   impatient

imparcial   impartial

impedir   to prevent, hinder

imperativo   imperative, dictatorial

imperfecto   imperfect, imperfect tense

impertinencia   impertinence

implorar   to implore

importar   to be important; to matter

imprenta   printing shop, press

impresión   impression, idea

impresionar   to make an impression; to impress

impresionista   impressionistic

impulso   impulse, movement

impunemente   with impunity

impuro   impure

inalterable unalterable
inasequible inaccessible
incapaz incapable
incertidumbre *f.* uncertainty
inclinar to incline; to slope; to induce
incómodo uncomfortable
incomprensión incomprehension
inconveniente *m.* obstacle, difficulty; tener —— en to object, to mind
incorporación association
incorporarse to sit up; —— a to join
increíble incredible
incrustar to incrust
inculpar to blame; to accuse
indeciso undecided
indefectible unfailing, indefectible
indemnización indemnity
indicar to indicate
indiferencia indifference
indigestión indigestion
indigno unworthy, contemptible
indio Indian
indulgencia indulgence, remission of sins
inexplicable unexplainable, inexplicable
infalible infallible
infancia infancy
infantil infantile, childlike
infeliz unfortunate, unhappy; *n.* poor soul, wretch
inferior inferior, lower
infernal infernal
infinito infinite
influir to influence; to have an influence on
información information, report, investigation
informar to inform; to advise; to report
ingenio talent, skill
ingenuidad ingenuousness
Inglaterra England

inglés English, Englishman
ingratitud ungratefulness
inmensidad immensity, infinity
inmenso immense
inmortal immortal
inmóvil motionless
inocencia innocence
inquilino tenant
insensible insensitive, unfeeling, unaware
insinuar to insinuate; to interrupt
insistente insistent
insistir to insist
insolente insolent
inspirar to inspire, to instill; ——se en to be inspired by
instalar to install
instante moment, instant
instinto instinct
insultar to insult
intacto intact, undamaged
intelecto intellect
inteligencia intelligence, understanding
intensificar to intensify
intenso intense, deep
intentar to attempt; to try, to intend
interés *m.* interest
interpretar to interpret; to play
interrumpir to interrupt
intervenir to intervene
íntimo intimate
intriga intrigue
intrigar to intrigue
introducir to introduce; to lead in
intuición intuition
inútil useless
inventar to invent
invierno winter
involuntario involuntary
ir to go; ¡vamos! come on, let's see; no les va bien things aren't going well with them; —— de visita to pay a visit

irascible irascible, prone to anger
ironía irony
irreal unreal
irritado irritated, irritable
irritar to irritate
isla island
italiano Italian
izquierdo left; **a la izquierda** to the left, on the left

jabón *m.* soap
jaca pony
jamás ever, never
japonés -esa Japanese
jardín *m.* garden
jinete *m.* horseman, rider
joven young
jovial jovial
judío Jewish; *m.* Jew
jugar to play; ——**se** to gamble, to risk
juguete *m.* toy
juicio judgment, wisdom
juicioso judicious, wise
junto next
juramento oath
jurar to swear
justicia justice
justificar to justify
juvenil juvenile, youthful
juventud *f.* youth

Kant (1724–1804) *German philosopher*

labio lip
labrado carved, figured
ladear to tilt; to lean
lado side, direction; **de un** —— on the one hand
ladrillo brick
lago lake
lágrima tear
lamentable lamentable
lamer to lick
lance *m.* critical moment, incident, episode, event

lancha barge, launch
lanzar to throw; to hurl; ——**se** to dash
largo long, abundant
lástima pity; **es** —— it's a pity
latido beat, throb
latino Latin
laurel *m.* laurel
lavabo washroom, lavatory
lavar to wash
lazarillo (blind man's) guide
lecho bed
lector reader
lectura reading
leer to read
lejanía distance, remoteness
lejano distant
lengua language, tongue
lenguaje *m.* language, idiom, speech
lento slow
león *m.* lion
letra letter, handwriting
levantar to raise; ——**se** to get up
leve light, slight
libertad liberty, freedom
librar to free, liberate
librería bookstore
librero bookseller
ligero light, slight
límpido limpid
limpio clean, pure
linaje *m.* lineage, offspring
lindo pretty
línea line
liquidar to liquidate
lirio iris, lily
lista list
listo ready, clever
literario literary
literato literate; *m.* learned man, literary man
lo de the matter of
lobo wolf
loco mad
locura madness

lodo mud
lógica logic
lógico logical
lograr to get; to obtain; to succeed
Londres London
lontananza far horizon
lucha fight, struggle
luchar to struggle; to fight
lucir to shine
luego then, well then, next, soon,
afterward; —— **que** as soon
as; **desde** —— of course, nat-
urally
lugar *m.* place; **tener** —— to
take place; **en primer** ——
first, in the first place
luminoso luminous
luna moon
luz *f.* light, learning

llama flame
llamar to call; to knock
llano flat, level; plain, clear
llanto weeping, crying
llanura plain
llave *f.* key
llegada arrival
llegar to arrive; —— **a** + *inf.*
to get to, to succeed in
llenar to fill; to satisfy
lleno full
llevar to carry, to take, to keep,
to wear (*clothes*); ——**se** to
get along
llorar to cry
llover to rain
lluvia rain

machete machete; cane knife
macizo flower bed, clump, mass
madera wood, timber, lumber
madrugada dawn
maestra teacher
maestro teacher, master
magia magic
magnate magnate

magnífico magnificent
majestuoso majestic
mal badly; *m.* evil, harm, wrong
maldito cursed
maleta suitcase
malo bad
maltratar to mistreat
mamar to suck; to nurse
manchar to spot; to stain
mandar to order; to send
mandato mandate, command
mandíbula jaw
manera manner, way; **de una**
—— in a way
manía mania; fixed idea
mano *f.* hand; **darse la** —— to
shake hands
manso gentle, tame
mantener to maintain, keep
manto cloak, mantle
manuscrito manuscript
manzano apple tree
mañana morning, tomorrow; **muy**
de —— very early
máquina machine, typewriter;
—— **de escribir** typewriter;
por —— mechanically
mar *m. and f.* sea
maravilla wonder, marvel; **hacer**
maravillas to do wonders
maravilloso marvelous, wonder-
ful
marcar to mark; to stress
marcha walk, step, march; **en**
—— running (*motor*); **poner**
en —— to start to go
marchar to go; to run; ——**se**
to go, to leave
mareo seasickness, dizziness
marfil *m.* ivory
marido husband
martillo hammer
mas but
más more; —— **bien** rather;
por —— **que** + *subjunctive* no
matter how much; **no . . .** ——
que only

masa   mass, common people
mascar   to chew
máscara   mask
masticación   chewing
material   material, physical
matrimonio   marriage
máxima   maxim
mayor   greater, greatest
mecánico   mechanical
mecanógrafo   typist
mecer   to swing; to rock
mediano   moderate, medium
medianoche *f.*   midnight
medicina   medicine
médico   doctor
medio   means, way, environment, half, middle, midway; **por ——** in between
mediocre   mediocre, medium
mediodía   noon
meditación   meditation
meditar   to meditate
meditativo   meditative
mejilla   cheek
mejoría   improvement
melancolía   melancholy
melancólico   sad, melancholy
melífluo   mellifluent
memoria   memory
mendigo   beggar
menor   least
menos   less, fewer, least, except; **(por) lo ——** at least
mensaje *m.*   message, errand
mensajero   messenger
mentir   to lie
menudencia   trifle; smallness
menudo   small; **a ——** often
merecer   to deserve; to merit
mesa   table
metafísico   metaphysician
meter   to put; to place
método   method
metro   meter; subway
mezcla   mixture, blend
microscópico   microscopic

miedo   fear; **tener ——** to be afraid
mientras   while, as long as, meanwhile; **—— tanto** in the meantime
milagro   miracle
millar *m.*   thousand
millón *m.*   million
millonario   millionaire
mimoso   pampered, spoiled; loving
ministerio   ministry, government department
minúsculo   small
minuto   minute
mirada   look, glance
mirar   to look at; to look
misa   mass
miserable   miserable, wretched, mean
miseria   wretchedness, poverty
misericordia   mercy
mismo   same, very, self; **lo —— que** the same as
misterio   mystery
misterioso   mysterious
mitad   half
moda   fashion, mode, style
módico   reasonable
modesto   modest
modo   way, manner; **de —— que** so that; **de un ——** in (such) a way; **de este otro ——** something else; **de malos modos** in an unfriendly way; **de todos modos** at any rate
modular   to modulate
mojado   wet, soaked
molde *m.*   mold, form, model
moler   to grind; to consume; to waste
molestar   to disturb; to bother; **——se en** to take the trouble to
molesto   annoying
momento   moment; **por momentos** at any moment

moneda coin
monólogo monologue
monotonía monotony
montaña mountain
montar to mount, to ride
monte *m.* mountain, woods
morado mulberry; dark purple
moral moral, ethical
morder to bite
moreno dark
moribundo dying
morir(se) to die
mortificar to mortify; to torment
mosca fly
mostrador *m.* counter, bar
motivo motive, reason
mover to move
muchedumbre *f.* crowd, mob
mudo silent
muela molar tooth
muerte *f.* death
mujer woman, wife
mundo world, globe; **correr** —— to travel
muñeca doll; wrist
muralla wall
muro wall

nacer to be born, to be
nacimiento birth
nacional national
nada nothing; —— **más que** nothing but
nadar to swim, to float
nadie nobody
naranja orange
naranjo orange tree
nariz *f.* nose, nostril
narración narration
narrador *m.* narrator
natal native
naturaleza nature
navegar to sail
Navidad Christmas
necedad foolishness, stupidity
necesidad necessity
necesitado needy, poor person

necesitar to need, to necessitate; —— **de** to have need of
negar to deny; to refuse; ——**se a** to refuse
negocio business, deal
negocios business
negro black
nervio nerve
neumático tire
nevada snowfall
nevar to snow
neworleansiano of New Orleans
ni neither, nor, not even
niebla fog, mist
nieto grandson, grandchild
nieve *f.* snow
ninguno no, none
niña child, girl, darling
niño child, boy
noche *f.* night; **de** —— at night
Nochebuena Christmas Eve
nombramiento appointment
nombre *m.* name
Noruega Norway
nota note, mark, grade, memorandum
notable notable, trustworthy
notar to notice
noticia news, notice, information
novedad something new, change
novela novel, story
novia sweetheart, fiancée, bride
novio sweetheart, fiancé, groom
nube *f.* cloud
nublado cloudy
nuevamente again
nuevas news
nuevo new; **de** —— again
número number

obedecer to obey
obispo bishop
objetivo objective
obligar to oblige
obra work, writings

obrar   to work; to perform, to execute
obrero   worker
obsesionar   to obsess
obstinado   obstinate
obstinarse   to be obstinate; to persist
ocarina   *small wind instrument with finger holes*
ocasión   occasion, opportunity
océano   ocean
octogenario   octogenarian
ocultar   to conceal
ocupar   to occupy; ——se de   to be busy with, to pay attention to
ocurrir   to occur; to happen; ——sele a uno   to occur (to one)
odiar   to hate
ofender   to offend; to bother
oficial *m.*   officer
oficio   work, occupation, office, function
ofrecer   to offer
oír   to hear; —— hablar de   to hear about; —— decir que   to hear that
ojeada   glance
ojo   eye
ola   wave
olor *m.*   odor
olvidar   to forget
olvido   forgetfulness, oblivion
opaco   opaque, sad
operación   operation
operar   to operate
opio   opium
oponer   to offer (*e.g.*, resistance); to oppose (one thing to another)
opresión   oppression
optar (por)   to choose (to)
orden *m.*   order
ordenar   to order; por ——   in order
oreja   ear, flange

orgullo   pride
orgulloso   proud, conceited
originario   original, primary
orilla   bank, shore, edge
oro   gold
orquesta   orchestra
oscuridad   darkness, obscurity
oscuro   dark
ostensible   ostensible, evident
otoño   fall, autumn
otro   other, another
óvalo   oval

pabellón *m.*   pavilion, building
paciencia   patience
padre   father
paja   straw
paganizar   to paganize
pagar   to pay
pagoda   pagoda
país *m.*   country
paisaje *m.*   landscape, countryside
pájaro   bird
palabra   word
palacio   palace
palidecer   to turn pale
palidez *f.*   paleness, pallor
pálido   pale
paliza   beating
palma   palm (tree); palm (of hand)
palo   stick, whack, blow
paloma   pigeon, dove
palpar   to touch; to feel; to grope
pan *m.*   bread
pañuelo   handkerchief, shawl
Papa   Pope
papado   Papacy
papel *m.*   paper, role, part
paquete *m.*   package, bundle
par *m.*   pair, couple
para   for, by; —— sí   to oneself
paradoja *f.*   paradox
paraíso   paradise
parar   to stop; ——se a + *inf.*   to stop (doing something)

pardo brown, dark gray

parecer to seem; to appear; **parecerse a** to resemble; **a su ——** in your opinion; **¿qué (tal) le parece . . . ?** What do you think of . . . ?

parecido resembling, like, similar

pared *f.* wall

pareja pair, couple

paréntesis *m.* parenthesis

pariente relative

París Paris

párpado eyelid

parque *m.* park

párrafo paragraph

parte *f.* part; **por otra ——** on the other hand; **de vuestra ——** on your part; **la mayor —— de** most of

particular particular, special, peculiar

partir to leave; to set out

parto childbirth

pasado past

pasajero fleeting, transitory

pasar to pass, to spend, to happen; **¿qué le pasa?** What's the matter?; **pase** come in

pasear to stroll, to walk; **——se** to take a walk, to stroll

paseo walk, ride, stroll; **dar ——** to take a ride

pasión passion, ardent feeling

paso step

pata foot of animal, paw

paterno paternal

patético pathetic

patriarcal patriarchal

pausa pause

pavoroso frightful

paz *f.* peace

pecado sin

pecho breast, chest, heart

pedazo piece

pedir to ask; to request

pedregoso stony, rocky

pegar to hit; to stick

pelea fight, quarrel

pelear to fight, quarrel

película film

peligro danger

pelo hair; **tomar el ——** to make fun of, to kid

pena pain, hardship, sorrow

pender to hang; to dangle

péndulo pendulum

pensamiento thought

pensar to think

peor worse, worst

pequeño small

pera pear

percibir to perceive

perder to lose

perdurar to last

perezoso lazy

perfecto perfect

perfilar to profile; to outline

perfumado perfumed

periódico newspaper

periodista *m.* newspaperman, journalist

perla pearl

permanecer to remain

permiso permission; **con ——** excuse me

perra dog; **—— suerte** hard luck

perro dog

perseguir to pursue

personaje *m.* character (*in a play, story*)

pertinaz pertinacious, obstinate

pesado heavy, tedious

pesadumbre *f.* sorrow, affliction

pesar *m.* grief; **a —— de** in spite of

pesar to weigh; to cause regret *or* sorrow

pescador fisherman

pescar to fish; to fish for

peso weight; **sin ——** limp

pestaña eyelash

petaca tobacco pouch, cigar case

pétalo petal
Petrarca Petrarch (1304–1374), *great Italian poet and humanist*
pez *m.* fish
pie *m.* foot; **en —— ** standing, up and about; **de —— ** standing
piedad piety, pity, mercy
piedra stone, rock
piel *f.* leather, skin
pierna leg
pieza piece, musical composition; room
pino pine tree
pintar to paint; to portray
pintor *m.* painter, artist
pintoresco picturesque
pisar to step on
piso floor, story (*of a building*)
pistolón large pistol
pitillo cigarette
placer *m.* pleasure
planta floor
**plantado: dejar —— ** to jilt; to leave in the lurch
plata silver
platónico Platonic
playa beach
plaza square
plebiscito plebiscite
pleno full
plomar to seal with lead
pluma pen, feather
poco little; (*plural*) few
poema *m.* poem
poesía poetry
poeta *m.* poet
política politics
polonés Polish; *m.* Pole
polvo dust
polvoriento dusty
poner to put; **——se a** + *inf.* to begin to, to start to; **——se** to become
pontífice *m.* pontiff
por by, for, through, along, because of

porcelana porcelain
porfía obstinacy, persistence
pormenor *m.* detail
portal *m.* entry, vestibule
portera janitress
porvenir *m.* future
posar to perch; to put; to put down
posesión possession
posible possible
postulado postulate, doctrine
práctica practice, skill, experience
pradera meadow, pasture land
prado meadow
precio price
precioso precious, pretty
precipitadamente hastily, hurriedly
precipitar to precipitate, to hasten
precisamente precisely; at the same time
preciso necessary, precise
predominar to predominate; to stand out
preferible preferable
preguntar to ask
prelado prelate
prematuro premature
prendedor *m.* brooch
prender to grasp
preocupación preoccupation, worry
preparativo preparation
preparatorio preparatory
presencia presence
presentar to present; to appear
pretender to pretend to, to claim; to try to
pretensión presumption, effort
pretexto pretext, excuse
prevalecer to prevail
prever to foresee
primavera Spring
primero first, in the first place
primitivo primitive, original

primo cousin
príncipe *m.* prince
principiar to begin
pro profit, benefit; **en —— de** in favor of
probar to prove; to test
procesión procession
procurar to try; to strive for
producto product
profano profane, worldly
profesión profession
profundo profound, deep
progresar to progress
progreso progress
prohibir to prohibit; to forbid
promesa promise
prometer to promise
prominente prominent, outstanding
promontorio promontory
pronto soon; **de ——** suddenly
propicio propitious
propiedad property
propietario owner
propio own, proper; same; himself, herself, etc.
proponer to propose
propósito purpose, intention
prosa prose
protagonista *m. and f.* protagonist, principal character
proteger to protect
protestar to protest
proverbio proverb
provincia province
provinciano provincial
próximo next, near, close
proyectar to project
prudente prudent
prueba proof, test, trial
prusiano Prussian
psicología psychology
público public, people
pueblo town, village, people, nation
puerta door
puerto port, mountain pass

pues then, well, well then
puesto stand, booth, place, post; **—— que** since
pulsera bracelet
pulso pulse
punta point, tip
pupila pupil (*of the eye*)
puro pure

que who, whom, which, that; for, because
quebrantar to break
quedar(se) to remain; to stay
queja complaint; moan; lament
quejar to complain, to lament; **——se de** to complain about *or* of
quemar to burn
querer to wish, to want, to love; **—— decir** to mean
querido dear
quitar to remove; to take away; to clear
quizá(s) perhaps

rabioso mad, furious
radiante radiant
rama branch
ramo branch, cluster, bouquet
ranilla sole
rapidez speed
rápido swift, rapid
raro rare, strange, odd
rasgo trait, characteristic
rato (short) time; while; **a ratos** from time to time
ratón *m.* mouse
rayo beam, ray of light
raza race, lineage
razón reason; **tener ——** to be right
razonable reasonable
razonar to reason
reaccionar to react
real real
realidad reality; **en ——** really, truly

realizar to realize; to fulfill; to perform
rebaño herd, flock
recelo fear, misgiving
recién recently; —— **casado** newlywed
reciente recent
recoger to pick up; to gather; to remove
recomendar to recommend
reconfortar to strengthen; to enliven
reconocer to recognize; to examine
reconocimiento examination; recognition
recordar to remember
recorrer to run over; to go through
recreo recreation, recess (*school*)
recto straight, right, honest
recuerdo memory, remembrance
redactar to edit; to write; to draw up
redactor *m.* editor, writer
redondo round
reflejar to reflect
reflexionar to reflect; to think
reformar to reform; to mend; to improve
refulgir to shine
regalar to give; to treat
regla rule
regocijarse to rejoice
regresar to return
regreso return
regular fair, so-so, regular
rehusar to refuse; to reject
reina queen
reinar to rule; to reign
reino kingdom
reír to laugh
rejuvenecer to rejuvenate
relatar to relate; to narrate
relato story, narration
religioso religious
reloj *m.* watch, clock

remascar to chew again
remediar to remedy; to help; to prevent
remedio remedy, help; **no tener** —— to be unavoidable
remordimiento remorse
remoto remote
remover to remove; to stir, to shake
rendija crack, split
rendir to subdue; to surrender; ——**se** to yield
renovar to renovate; to remodel
renunciar to renounce
reñir to quarrel
reparar (en) to notice
reparo doubt, objection; **tener** —— to be bashful
repasar to pass again
repente *m.* start; **de** —— suddenly
repetir to repeat
replicar to answer
reponerse to recover
reposar to repose; to rest
reposo repose, rest
representar to represent; to act; to play
reprimenda reprimand
reprimir to repress
reproche *m.* reproach
repugnancia repugnance, antipathy
resbaladizo slippery
reservar to reserve
resignación resignation
resistir to resist; to bear; to withstand
resonar to resound
respecto relation, respect; —— **a** with respect to
respeto respect
respetuoso respectful
respiración breathing
respirar to breathe
resplandecer to glisten; to gleam; to shine

resplandor m. light
responder to answer; to correspond
resto rest
restorán m. restaurant
resuelto resolute, determined, quick
resultar to result, to turn out to be
retener to retain; to hold back
retirar(se) to retire; to withdraw
retorno return
retrasar to delay; to put off
retrato portrait, photograph
retroceder to back away
reuma m. and f. rheumatism
revelar to reveal
reventar to smash; to burst
reverente reverent
revés m. back
revisar to examine
revista magazine
revolar to flutter; to fly
revolotear to flutter, flit
revolución revolution
revolver to turn around, to disturb
rey m. king
rezar to pray
rígido stiff, rigid
rincón m. corner
río river
ritmo rhythm
robar to steal
roca rock
rodar to roll; to rotate
rodear to surround; to encircle
rodeo detour, evasion
rodilla knee
rogar to ask; to beg
rojo red
romano Roman
romántico romantic
romper to break
ronco hoarse, raucous
rondar to go around; to prowl
ropa clothes

rosa rose
rosado rose-colored
roso red
rostro face
roto torn
rozar to rub, graze
rubio blond, fair
rubor m. blush; embarrassment
ruego request, entreaty
rufián m. scoundrel, ruffian
rugir to roar, to bellow
ruido noise
ruidoso noisy
ruiseñor m. nightingale
rumbo course, direction
rumor m. rumor, murmur, sound
Rusia Russia
ruso Russian

saber to know
sabio wise, learned; m. learned man, scholar
saborear to flavor; to taste
saboteador m. saboteur
saca sack
sacar to take out; to draw out; to bring forth
sacerdote m. priest
sacrificar to sacrifice
sacrificio sacrifice
sacro sacred
sacudir to shake
sagrado sacred, holy
sala living room, drawing room
salida exit, departure, way out
salir to leave; to go out
salmo psalm
salón m. large hall or room
salpicar to spatter; to sprinkle
saltar to leap, to jump
saludable healthful
saludar to greet, hail
salvar to save
sanar to heal; to cure; to recover
sangrar to bleed
sangre f. blood

sano   sound, healthy, good
santidad   holiness
santo   saintly; *m.* a saint
satisfecho   satisfied; conceited
Schopenhauer (1788–1860) *German philosopher*
seco   dry
secreto   secret
sed *f.*   thirst
seductor   seducer; *adj.* seductive, captivating
seguida   succession, series; en —— immediately
seguir   to follow; to continue
según   according to
segundo *adj. and n.*   second
seguridad   surety, safety, confidence
seguro   sure, safe, certain; de —— surely
selecto   select, choice
sello   stamp
semana   week
semejante   similar, such
semejanza   similarity, resemblance
semioculto   half-hidden
sencillo   simple
senda   path
seno   chest, bosom
sensación   sensation
sensible   sensitive, perceptible
sensitivo   sensitive, sensual
sensual   sensual, sensuous
sentar   to seat; ——se to sit down
sentido   meaning
sentimentalismo   sentimentality, sentimentalism
sentimiento   feeling
sentir   to feel; to regret
señal *f.*   signal
señalar   to show; to point out
señor   sir, lord, gentleman, master
señorial   seignioral, noble
señorita   mistress
señorito   master

separar   to separate
sepultura   grave
ser   to be; sé be (*command*); *m.* being, person
sereno   serene, calm, sober
seriedad   seriousness
serio   serious
serpentear   to wind
servicio   service
servidumbre *f.*   servitude
servir   to serve; —— para to be used for; para ——le at your service
severidad   severity
sexo   sex
sí   yes, indeed (*adds emphasis to a verb*)
siempre   always
sierra   mountain range
siglo   century
significación   significance
significado   significance, meaning
significar   to signify; to mean; to indicate; to be worth
significativo   significant
signo   sign, symbol
siguiente   following
sílaba   syllable
silbar   to whistle
silbido   whistle
silencio   silence
silencioso   silent
silla   chair; saddle
sillón *m.*   armchair, easy chair
simbolista   symbolist
simbolizar   to symbolize
simétrico   symmetrical
simpatía   sympathy, liking, friendliness, congeniality; tener grandes ——s to get along
simpático   likeable, pleasant
simultáneamente   simultaneously
sin   without
sincero   sincere
siniestro   sinister
sino   but (rather)
sintético   synthetic

siquiera even, scarcely; **ni ——** not even
sirvienta servant
sistema *m.* system
sitio place, location
situar to situate
soberbio proud, superb
sobre on, above
sobremanera exceedingly
socialismo socialism
sol *m.* sun
solar solar
soldado soldier
soledad solitude, loneliness
solemne solemn
soler to be accustomed to
solicitar to solicit, ask
solicitud solicitude
solidaridad solidarity
solitario solitary
sollozo sob
solo alone, single, only, sole
sólo only
sombra shade, darkness, shadow
sombrero hat
sombrío somber, dark, gloomy
someter to submit; to subject
sonar to sound; to ring
soneto sonnet
sonreír to smile
sonriente smiling
sonrisa smile
soñar to dream; **—— con** to dream of *or* about
soplar to blow
sorbo sip
sórdido sordid, dirty
sorprender to surprise
sorpresa surprise
sosegado calm, peaceful
sostener to support, hold up, sustain
suave smooth, soft, mellow, suave, gentle
subir to go up; to take up
súbito sudden; **de ——** suddenly

subjetivo subjective
substitución substitution
suceder to happen
suceso event
sucesor successor
sucio dirty
sudor perspiration, sweat
suelo ground, floor
sueño dream, sleep
suerte *f.* luck, fortune
suficiente sufficient
sufrir to suffer, to endure
sugerir to suggest
sugestión suggestion
suicida *m.* suicide
suicidarse to commit suicide
sujetar to fasten; to hold
suma sum, figure
suntuoso sumptuous
supersticioso superstitious
suponer to suppose
supremo supreme
supuesto *past participle of suponer;* **por ——** of course
suspirar to sigh
sustantivo substantive, noun
sustituir to substitute; to replace
sutil subtle, thin, cunning, keen

taberna tavern, saloon
tabernero saloonkeeper
tabla board, plank
tal such, so, as; **—— cual** such as; **—— vez** perhaps; **—— como** just as; **un ——** a certain
tampoco neither, nor
tan so; **tan . . . como** as . . . as
tanto so much; **en ——** while; **tanto . . . como** as much . . . as; **por ——** therefore
taquilla ticket window
taquillera ticket seller
tardar to delay; to be late; **—— en + *inf.*** to be long in

tarde *f.* afternoon; **buenas tardes** good afternoon; good by; *adv.* late

tarea task, job

taza cup

techo roof; ceiling

tejado roof

telaraña cobweb

telegrama *m.* telegram, dispatch

tema *m.* theme

temblar to tremble

tembloroso trembling

temor *m.* fear

temperatura temperature

temporada season, period, spell

tendencia tendency

tender to spread, to stretch, to reach out; —— **a** + *inf.* to tend to

tener to have; —— **calor** to be warm; —— **curiosidad** to be curious; —— **frío** to be cold; —— **hambre** to be hungry; —— **horror a** to have a horror of; —— **inconveniente** to object; —— **la bondad** please; —— **miedo** to be afraid; **no** —— **remedio** to be unavoidable; —— **razón** to be right; —— **reparo** to be bashful; —— **sed** to be thirsty

tenso tense, taut

tentación temptation

tentador tempting; temptor

terminar to end; to finish

término end; term

terreno terrain, land, ground

tesoro treasure

tétrico gloomy, sullen, dark

tiempo time, weather; **a** —— on time; **al poco** —— soon, shortly; **al mismo** —— at the same time; **¿qué tal** —— **hace?** what's the weather like?

tienda store, tent, shop

tierno tender, delicate

tierra land, ground, earth, dirt

timbre *m.* stamp, seal

tímido timid

tinieblas *f.* darkness

tinta ink

tío uncle

tiovivo merry-go-round

típico typical

tipo type, kind, model; (*coll.*) fellow, guy

tirar to throw, to draw, to pull; —— **a** to resemble, to approach; —— **de** to pull out

titular to entitle

título title

toalla towel

tocar to touch; to ring (*a bell*); to play (*an instrument*); **tocarle a uno** to be one's turn, to fall to one's lot

todavía still, yet

todo all, everything; —— **el mundo** everybody

tomar to take, to buy, to have (*beverage*); —— **a mal** to take offense at

tono tone

tontería foolishness, nonsense

tonto foolish, stupid; *m. and f.* fool, dolt

torerillo young bullfighter

torero bullfighter

tormenta storm, tempest

tornar to return, to turn; —— **a** + *inf.* to do something again

torno turn; **en** —— **de** around; **en** —— all around, about

toro bull

torpe stupid, dull, slow

torre *f.* tower

torrencial torrential

torrente *m.* torrent, avalanche

tostar to burn; to tan

trabajar to work

trabajo work, job; difficulty

tradicional traditional

traducir to translate

traer to bring
tragar to swallow
trágico tragic
trago swallow, drink
traje *m.* suit
trance *m.* critical moment
tranquilo calm, quiet
transcurrir to pass
transmitir to transmit
transparente transparent
tranvía trolley car
tras behind, beyond
trascendencia importance, transcendence
traslúcido translucent
trastornar to upset; to disturb
tratar to treat; ——**se de** to be a question of, to deal with
trato treatment
través misfortune, reverse; a —— **de** through
travieso mischievous
trémulo trembling
triste sad
tristeza sadness
triunfar to triumph
triunfo triumph
tronco trunk
tropezar to hit, to stumble; —— **con** to run into, to encounter
trote trot
tumba tomb, grave
túnica tunic
turbador disturbing
turbar to disturb; to trouble
turco Turkish; *m.* Turk
Turquía Turkey

últimamente lately, recently
último last, latest
ulular to howl
único unique, only, sole
unir to unite; to join
unísono al —— in unison
usado worn out, used, secondhand
usar to use

utilidad utility, usefulness
utilizar to utilize; to use
uva grape

vaca cow
vaciar to empty
vacilar to hesitate
vacío empty; *m.* emptiness
vagar to wander; to be idle
vago vague, lazy
valer to be worth, to cost; —— **la pena** to be worth while; —— **más** to be better
valeroso valiant
valor *m.* value, worth, validity
vals *m.* waltz
valle *m.* valley
vanidad vanity
vano vain; **en** —— in vain
vapor steam, vapor; mist
variar to vary; to change
vario various, varied
vasco Basque
vaso glass
vasto vast, huge
¡vaya! well! look here! what (a)!
vecino neighbor, resident, tenant
vega plain
vegetal vegetal, plant
vehículo vehicle
vela vigil, candle
velar to keep vigil; to watch over
velocidad speed
vena vein
venda bandage, blindfold
vendar to bandage; to cover the eyes
vendedor seller
vender to sell
vengarse to take revenge
venir to come
ventaja advantage, gain, profit
ventana window
ventanillo small window

ventura happiness, luck

ver to see; a —— let's see

verano summer

veras de —— really

verdad truth; de —— real

verdadero true, real, actual

verde green

verdura verdure, greenness

vereda path, sidewalk

verso verse, poetry

vértigo vertigo, dizziness

vertir to pour; to shed

vespertino evening

vestíbulo vestibule, lobby

vestir to dress; ——**se** to get dressed

vez *f.* time; **de una** —— once and for all; **en** —— **de** instead of; **tal** —— perhaps; **hacer las veces de** to serve as; **a veces** at times; **de** —— **en cuando** from time to time; **cada** —— **más** more and more

viajar to travel

viaje *m.* trip, voyage, travel

viajero traveler

vibrar to vibrate

vicio vice

vicioso vicious, harmful, overgrown

vida life

viejo old

Viena Vienna

viento wind

vientre *m.* belly

vino wine

violencia violence; **con** —— violently

violeta violet

virgen new, chaste

virtud virtue, power, habit, disposition

virtuoso virtuous

visión vision

visita visit; **hacer una** —— **a** to pay a visit to, to visit

visitante *m.* visitor

vista view, sight, scene; **de** —— by sight

visto evident, obvious; **por lo** —— evidently

vitrina store window; showcase

viudo widower

vivaracho vivacious, lively

vivificar to animate; to enliven

vivir to live; ¡**viva**! long live

vivo alive, lively, vivid

vocación vocation

volar to fly

volumen *m.* volume

voluntad will

voluptuosidad voluptuousness

voluptuoso voluptuous, voluptuary

volver to return; —— **a** + *inf.* to do something again; —— **en sí** to regain consciousness; ——**se** to turn into; to become; to return; to turn

voto vote

voz *f.* voice, shout, cry

vuelo flight

vuelta turn, return; **dar vueltas** to circle, to walk around; **dar la** —— **a** to take a walk around

vulgar vulgar, coarse

Wagner (1813–1883) *German composer*

ya already, now; —— **no** no longer; —— **que** since, inasmuch as

yegua mare

yerba grass

zapato shoe

zona zone